JIMI HENDRIX
POR ELE MESMO

JIMI HENDRIX

JIMI HENDRIX
POR ELE MESMO

Organização:
ALAN DOUGLAS e PETER NEAL

Tradução:
IVAN WEISZ KUCK

ZAHAR

Título original:
Starting at Zero (*His Own Story*)

Tradução autorizada, mediante acordo com Sobel Weber Associates,
da primeira edição americana, publicada em 2013 por Bloomsbury,
de Nova York, Estados Unidos

Copyright © Gravity Limited, 2013

Copyright da edição brasileira © 2014:
Jorge Zahar Editor Ltda.
rua Marquês de S. Vicente 99 – 1º | 22451-041 Rio de Janeiro, RJ
tel (21) 2529-4750 | fax (21) 2529-4787
editora@zahar.com.br | www.zahar.com.br

Todos os direitos reservados.
A reprodução não autorizada desta publicação, no todo
ou em parte, constitui violação de direitos autorais. (Lei 9.610/98)

Grafia atualizada respeitando o novo Acordo Ortográfico da Língua Portuguesa

Starting at Zero (originalmente intitulado *Room Full Of Mirrors*) foi produzido
sem contribuições, apoio ou autorização de Al Hendrix, Janie Hendrix,
Experience Hendrix, L.L.C., ou quaisquer outras partes associadas.

Créditos da edição original: Composição da narrativa e Introdução: Peter Neal;
Autenticação e compilação do material de base: Michael Fairchild; Design e direção
de arte: David Costa, Wherefore Art?; Coordenação de projeto: Keith Robinson;
Consultoria: Ray Rae Goldman; Edição final: Ross Firestone; Administração comercial:
Marco Merciega (Tri-Mer Services); Produtor associado: Michael Lemesre; Consultoria
jurídica: Kirk Hallam. Produzido por Alan Douglas. Agradecimentos especiais a Sandy
Lieberson e John Masouri por ajudarem a libertar este livro do cativeiro.

Preparação: Diogo Henriques | Revisão: Eduardo Monteiro, Eduardo Farias
Projeto gráfico: Carolina Falcão | Capa: Estúdio Insólito
Foto da capa: © Monitor Picture Library/Photoshot/Getty Images

CIP-Brasil. Catalogação na publicação
Sindicato Nacional dos Editores de Livros, RJ

H435j
Hendrix, Jimi, 1942-1970
Jimi Hendrix por ele mesmo/Jimi Hendrix; organização Alan Douglas, Peter Neal; tradução Ivan Weisz Kuck. – 1.ed. – Rio de Janeiro: Zahar, 2014.

Tradução de: Starting at Zero (His Own Story)
ISBN 978-85-378-1354-6

1. Hendrix, Jimi, 1942-1970. 2. Músicos de rock – Estados Unidos – Biografia. 3. Rock – Estados Unidos – História. I. Douglas, Alan. II. Neal, Peter. III. Sienkiewicz, Bill. IV. Título.

CDD: 927.824166
CDU: 929:78.067.26

14-15648

Sumário

Introdução por Peter Neal — 7

Capítulo Um: Voodoo Child — 13
(Novembro de 1942 – Julho de 1962)

Capítulo Dois: Highway Chile — 29
(Julho de 1962 – Setembro de 1966)

Capítulo Três: Are You Experienced? — 43
(Setembro de 1966 – Junho de 1967)

Capítulo Quatro: Bold as Love — 73
(Junho de 1967 – Agosto de 1967)

Capítulo Cinco: Ezy Rider — 89
(Agosto de 1967 – Janeiro de 1968)

Capítulo Seis: Stone Free — 113
(Fevereiro de 1968 – Dezembro de 1968)

Capítulo Sete: All Along the Watchtower — 139
(Janeiro de 1969 – Junho de 1969)

Capítulo Oito: Earth Blues — 165
(Julho de 1969 – Janeiro de 1970)

Capítulo Nove: Nine to the Universe — 185
(Fevereiro de 1970 – Setembro de 1970)

Introdução

PARA TODOS OS EFEITOS, este livro foi escrito por Jimi Hendrix. Mas, como se trata de uma compilação póstuma, nada mais justo do que oferecer algumas explicações sobre como se chegou ao texto final.

De certo modo, foi o próprio Jimi quem deu a ideia do livro. O ponto de partida foi um filme biográfico em que eu estava trabalhando com Alan Douglas. Não querendo pôr palavras na boca do músico, começamos a fazer experiências com diálogos extraídos de registros de coisas que ele, de fato, havia dito. Um enorme dossiê foi compilado a partir de todas as fontes que puderam ser autenticadas com segurança. Havia uma superabundância de material, pois, nos quatro anos que passou sob os holofotes, Hendrix estava constantemente dando entrevistas. Ele foi também um escritor compulsivo, usando blocos de anotações de hotéis, pedaços de papel, pacotes de cigarro, guardanapos – tudo o que estivesse à mão.

Ainda que trechos de algumas dessas entrevistas e escritos já tenham sido publicados, muitas vezes eles foram apropriados por gente que queria defender suas próprias ideias sobre a vida e a música de Hendrix. A leitura de todo o material disponível, contudo, mostra que Jimi deixou sua própria interpretação de si mesmo, excepcional e abrangente, ainda que o tenha feito de maneira fragmentada e um tanto elíptica. Sentimos que era imperativo que, em meio à pletora de mitos e meias-verdades, Jimi pudesse oferecer uma versão própria e pessoal de sua vida e sua música.

Jimi Hendrix por ele mesmo é o resultado da reorganização desse material numa ordem narrativa. Como cineasta, pensei que seria natural me ocupar da tarefa como se estivesse editando imagens para um documentário. O fato de a fala de Jimi ser tão ritmada e sua maneira de se expressar tão visualmente rica contribuiu para essa abordagem. De um modo incrível e assombroso, o livro ganhou vida. A obra começou a se desenvolver por vontade própria, de tal maneira que me vi perguntando a mim mesmo se não seria alguma espécie de psicografia. Ao dizer isso, penso que estou, na verdade, prestando homenagem à força extraordinária da presença de Jimi através de suas palavras.

O fato é que ele contou a própria história tão bem que não precisei tomar quase nenhuma liberdade. Além de eliminar repetições, eventualmente combinei frases ou alterei a gramática onde parecia necessário aclarar o sentido. Além disso, como o material não havia sido originalmente concebido para esse uso, acrescentei notas breves que fornecem informações contextuais básicas e servem de apoio à continuidade dos eventos. As letras foram incluídas não apenas porque são referidas no texto, mas porque o conjunto das suas canções é, em si mesmo, autobiográfico. Jimi sempre afirmou que, para ele, vida e música eram inseparáveis. Na falta desta última, que é seu testemunho verdadeiro, as letras constituem uma dimensão poética essencial.

As memórias de Jimi sobre seus primeiros 23 anos de vida se enquadraram facilmente numa ordem narrativa. Por motivos óbvios, ele nunca nos deu um relato claro e consecutivo de seus últimos quatro anos. Contudo, falou longamente sobre as ideias que se formavam em sua mente e sobre as mudanças de percepção e consciência que estava experimentando. Assim, à medida que avança, o livro se torna menos uma narrativa de eventos externos e mais a exploração de uma jornada interna. Essa jornada interna é o cerne do livro – e nada poderia ser mais adequado, pois o rompimento de fronteiras está no âmago da história de Jimi.

Durante algum tempo, este livro teve o título provisório de *Letter to a Room Full of Mirrors* [Carta a uma sala cheia de espelhos]. Jimi passou seus últimos anos de vida obcecado com a imagem do espelho. O espelho pode ser visto como símbolo – ou como o limiar da mais importante das travessias. De acordo com as tradições dos nativos norte-americanos, o espelho da autorreflexão representa nosso estado humano normal, um estado de autoencarceramento no qual vemos o mundo de um ponto de vista condicionado, repetitivo e, portanto, não criativo. Nesses termos, quebrar o espelho da autorreflexão significa ultrapassar essa visão de mundo limitada e chegar à própria fonte criativa.

> As visões, ideias e inspirações dessas pessoas vêm diretamente das fontes primárias da vida e do pensamento humanos. Eis por que falam com eloquência não da sociedade e da psique atuais, em estado de desintegração, mas da fonte inesgotável por meio da qual a sociedade renasce. O herói morreu como homem moderno; mas, como homem eterno – aperfeiçoado, não específico e universal –, renasceu. [JOSEPH CAMPBELL]

Se, em alguma medida, este livro der certo, será por conta da disposição de Jimi para falar de si mesmo com tanta sensibilidade, franqueza e humor. A esse respeito, somos especialmente gratos aos vários jornalistas que o entrevistaram e aos colecionadores que registraram e preservaram o material a partir do qual o livro foi compilado. Gostaria, em especial, de agradecer a Michael Fairchild pelos incansáveis esforços para localizar e autenticar as fontes e pelo entusiasmo e contribuições criativas sem limites; a Christopher Mould pelo apoio e participação inestimáveis durante o difícil período da gênese do livro; e a Kevin Stein pela paciência e sensibilidade com que me ajudou a terminar o texto final. Por fim, sou eternamente grato a Alan Douglas pela oportunidade de trabalhar num projeto tão gratificante. Seu conhecimento e seus conselhos foram valiosíssimos para guiar este trabalho do início ao fim. Foram sua antevisão e seu empenho que tornaram possível a feitura deste livro.

PETER NEAL

Eu morava numa sala
Cheia de espelhos
Tudo o que eu via era eu
Mas agora ergo meu espírito e quebro meus espelhos
Agora tenho o mundo todo diante dos olhos
Eu disse, tenho o mundo todo diante dos olhos
E estou procurando alguém para amar

Meu cérebro cheio de cacos de vidro
Cortando, berrando, chorando na minha cabeça
Meu cérebro cheio de cacos de vidro
Que caíam de meus sonhos e me cortavam na cama
Que caíam de meus sonhos e me cortavam na cama
Eu disse, era estranho fazer amor naquela cama

Amor, venha brilhar sobre a montanha
Amor, venha brilhar sobre o mar
Amor, venha brilhar sobre a minha menina
E então eu saberei quem está do meu lado

I used to live in a room
Full of mirrors
All I could see was me
Well I take my spirit and crash my mirrors
Now the whole world is here for me to see
I said, the whole world is here for me to see
Now I'm searching for my love to be

Broken glass was all in my brain
Cut'n screamin', cryin' in my head
Broken glass was all in my brain
It used to fall out of my dreams and cut me in my bed
It used to fall out of my dreams and cut me in my bed
I said, making love was strange in my bed

Love come shine over the mountain
Love come shine over the sea
Love come shine on my baby
Then I'll know exactly who's for me
Lord, I'll know who'll be for me*

---

* Letra de "Room Full of Mirrors", em tradução livre, assim como todos os demais versos de canções citadas. As notas de rodapé são do tradutor.

CAPÍTULO UM

(*Novembro de 1942 – Julho de 1962*)

VOODOO CHILD

Well, the night I was born
Lord, I swear the moon turned a fire red.
Well, my poor mother cried out
"Lord, the gypsy was right"
And I see'd her fell down right dead…*

---

* De "Voodoo Chile": "Olha, na noite em que nasci/ Senhor, eu juro que a lua ficou vermelha como o fogo./ Olha, minha pobre mãe gritou:/ 'Senhor, a cigana estava certa'/ E eu vi ela cair morta no chão…"

Nasci em Seattle, Washington, EUA, em 27 de novembro de 1942, com zero ano de idade.

Lembro que uma enfermeira me pôs uma fralda e quase me espetou. Eu devia estar doente no hospital, devia estar com alguma doença, porque lembro que não me sentia muito bem. Depois, ela me tirou do berço e me ergueu diante da janela para me mostrar alguma coisa no céu. Eram fogos. Devia ser 4 de Julho. Aquela enfermeira me deixou ligado, eu estava viajando na penicilina que ela me deu e olhava para cima e o céu estava tão…

SsschuusssSchush

É nossa primeira viagem!

Lembro também de quando eu era tão pequeno que cabia num cesto de roupas. E de quando tinha só quatro anos e fiz xixi na calça e fiquei horas lá fora na chuva até ficar todo molhado, para que mamãe não descobrisse. Mas ela descobriu.

Papai era muito rígido e centrado, já mamãe gostava de se vestir bem e de se divertir. Ela bebia muito e não se cuidava, mas era uma mãe fantástica. O casamento deles era problemático. Estavam sempre se separando, e, quando isso acontecia, meu irmão e eu íamos para casas diferentes. Na maioria das vezes, eu ficava na casa da minha tia e da minha avó. Era preciso estar sempre preparado para me mandar para o Canadá.

Minha avó é índia, tem sangue cherokee. Muita gente em Seattle tem sangue indígena. É apenas mais uma parte da família, só isso.

Eu passava muito tempo na reserva dela em Vancouver, na Colúmbia Britânica. Tem um montão deles lá, cara, era uma coisa terrível. Todas as casas são iguais, e nem são bem casas, são mais cabanas. É uma cena triste. Metade deles fica jogada na sarjeta, bebendo, completamente fora de si. E eles ficam lá sem fazer nada. Aquilo me deixava tão perturbado que eu nem… nem ligava mais quando um professor dizia que os índios não prestavam! Quer dizer, em outras palavras: "Nenhum índio presta, todos têm gonorreia!"

Hoje minha avó mora num apartamento incrível em Vancouver. Tem televisão, rádio e tudo o mais. Mas ela continua com os longos cabelos brancos.

Quando eu era pequeno, ela me contava histórias bonitas de índios, e meus colegas de escola riam quando eu usava aqueles xales e ponchos que ela fazia. Aquela velha história triste, sabe? Ela me deu um casaquinho mexicano com borlas. O casaco era realmente bom, e eu o usava todos os dias na escola, sem me importar com o que os outros pudessem pensar, só porque gostava dele. Eu gostava de ser diferente.

[Al e Lucille Hendrix se divorciaram em dezembro de 1950. Jimmy e seu irmão mais novo, Leon, ficaram com o pai. Jimmy viu a mãe pela última vez em janeiro de 1958. Ela morreu no mês seguinte.]

Quando era bem pequenininho, sonhei que minha mãe estava sendo levada embora por camelos. Era uma grande caravana, e dava para ver as sombras das folhas passando pelo rosto dela. Você já viu como o sol brilha por entre as árvores? Bom, as sombras eram verdes e amarelas. E ela estava me dizendo: "Olha, não vou mais estar tanto tempo com você, sabe? Então, até logo."

Uns dois anos depois ela morreu. Vou me lembrar daquele sonho para sempre. Nunca me esqueci. Tem sonhos que a gente NUNCA esquece.

PAPAI ERA QUEM cuidava de mim na maior parte do tempo. Ele era religioso e eu frequentava a escola dominical. Ele me ensinou a sempre respeitar os mais velhos. Eu só podia falar se os adultos falassem comigo primeiro. Então, sempre fui muito calado. Mas eu via muita coisa. Em boca fechada não entra mosca.

Papai era jardineiro e já tinha sido eletricista também. Não éramos muito ricos! No inverno, quando não havia grama para aparar, a coisa ficava feia. Ele cortava meu cabelo igual a uma galinha depenada, e todos os meus amigos me chamavam de "cuca lisa".

Eu era muito solitário. Toda noite trazia um vira-lata para casa, até que meu pai me deixou ficar com um. E foi o mais feio de todos. Seu nome na verdade era "Prince Hendrix", mas o chamávamos mesmo de cachorro! Também tive gatos. Adoro animais. Os mais bonitos são os cervos e os cavalos. Eu via muitos cervos nos arredores de Seattle. Um dia, vi um cervo e, por um segundo, senti algo estranho. Era como se eu já o tivesse visto antes. Quer dizer, foi como se, por uma fração de segundo, eu tivesse estabelecido uma relação muito profunda com ele. Eu disse "Espera aí!", e então a sensação passou.

Fui à escola em Seattle e, depois, em Vancouver, na Colúmbia Britânica, de onde veio minha família. Depois, voltei a Seattle, onde estudei na Garfield High School. No geral, minha escola não era muito rígida. Tínhamos chineses, japoneses, porto-riquenhos, filipinos... Ganhávamos todos os jogos de futebol americano!

Na escola eu escrevia um bocado de poesia, e isso me deixava muito feliz. A maioria dos meus poemas falava de flores, da natureza e de gente vestida com mantos. Eu queria ser ator ou pintor. Gostava, em especial, de pintar cenas de outros planetas – *Tarde de verão em Vênus* e coisas do gênero.

O que mais me empolgava era a ideia das viagens espaciais. A professora dizia "Pintem três cenas", e eu pintava quadros abstratos, como *Pôr do sol em Marte*, sem brincadeira! Ela me perguntava "Como você está se sentindo?", e eu dava alguma resposta viajante, como: "Bem, depende de como os caras lá em Marte estão se sentindo." Eu simplesmente não sabia o que mais poderia dizer. Já não aguentava mais falar: "Bem, obrigado."

Ela me disse: "Muito bem, por essa você vai ter que vir aqui para a frente." E eu tinha que ficar lá no canto, como numa motocicleta da Gestapo – o piloto se senta na moto e o comandante no carrinho ao lado. Eu nunca pude me sentar com o resto da turma. Na terceira série, a professora sentava-se ao meu lado e dizia "Que isso sirva de exemplo!", e, ao mesmo tempo, tocava meus joelhos por baixo da mesa.

Diziam que eu estava sempre atrasado, mas eu só tirava boas notas. O verdadeiro motivo era que eu tinha uma namorada na aula de artes e nós vivíamos o tempo todo de mãos dadas. A professora de artes não engolia isso. Era muito preconceituosa.

Ela disse: "Senhor Hendrix, vejo você no vestiário em três segundos." No vestiário ela perguntou: "O que você pretende falando assim com aquela branca?" Eu respondi: "Qual o problema, a senhora está com ciúmes?" Ela começou a chorar e eu fui posto para fora. É fácil me fazer chorar.

[Jimmy abandonou a Garfield High School em outubro de 1960, aos dezessete anos.]

Lembro de quando, com delicadeza, me botaram para fora da escola. Disseram que coisa boa eu não era... Fiquei tão orgulhoso que gritei bem alto: "Vá pro inferno, escola ultrapassada!"

A gente espera e espera, e nada nos salva desse destino aborrecido de viver como anjos. Fazendo tudo certo, sem nunca ter que brigar, sem nunca sentir a ânsia de dar o primeiro passo para além da esquina.

Saí da escola cedo. Ela não significava nada para mim. Eu queria que algo me acontecesse. Meu pai me disse para procurar um emprego. E foi o que fiz por algumas semanas. Eu trabalhava pro meu pai. Tinha que trabalhar duro. Carregávamos pedra e cimento o dia inteiro, e a grana ia toda para o bolso dele. Ele não me pagava nada. Simplesmente ficava com todo o dinheiro. Eu não queria trabalhar tanto por tão pouco, então comecei a andar por aí com os garotos.

Às vezes, eu e meus amigos acertávamos um policial, e meia hora depois estávamos metidos numa briga dos infernos. Às vezes, íamos parar na cadeia, mas comíamos muito bem. A maioria dos policiais não valia nada, mas havia uns muito legais. Eles eram mais humanos – não batiam com tanta força, e, então, conseguíamos comer melhor. Mas tudo isso ficou chato demais depois de um tempo.

Para muitos garotos as coisas não são fáceis. Jesus! A vida lá em casa estava insuportável. Fugi mais de uma vez de tão infeliz que estava. Uma dessas vezes foi depois de uma briga feia com meu pai. Ele bateu na minha cara e eu fugi. Quando ele percebeu que eu tinha ido embora, ficou louco de preocupação. Mas eu não me importava com os sentimentos dos outros. Voltei para casa quando vi que meu pai estava incomodado. Não que me importasse, mas, bem, ele era meu pai. Acho que ele nunca imaginou que eu daria certo. Eu era o garoto que fazia tudo errado.

Tears burning me
Tears burning me in my eyes
Way down, way down in my soul.
Tears burning me in my soul...

Well, I gotta leave this town
Gonna be a voodoo chile
And try to be a magic boy.

Come back and buy this town
Come back and buy this town
And put it all in my shoe
Might even give a piece to you! *

Enquanto eu estava no andar de cima, os adultos davam festas. Escutavam Muddy Waters, Elmore James, Howlin' Wolf e Ray Charles. Aquele som não era nada maligno, só um pouco mais pesado. Depois, eu descia escondido para comer restos de batatas e fumar guimbas de cigarro. No rádio, escutava o Grand Ol' Opry. Eles tinham uns caras bons, uns guitarristas da pesada.

O primeiro guitarrista de que tomei conhecimento foi Muddy Waters. Ouvi um disco dele quando era pequeno e fiquei aterrorizado com todos aqueles sons. Uau! O que era aquilo? Era incrível. Eu gostava de Muddy Waters quando ele só usava duas guitarras, uma harmônica e um bumbo. Eu gostava era de coisas como "Rollin' and Tumblin'" – aquele som de guitarra verdadeiro e primitivo.

Meu pai dançava e tocava colheres. Meu primeiro instrumento foi uma harmônica, que ganhei quando tinha uns quatro anos, acho. O segundo foi um violino. Sempre curti instrumentos de cordas e pianos, mas queria algo que eu pudesse levar para qualquer lugar, e não dava para trazer um piano para casa.

Depois, comecei a me interessar por violões. Parece que todo mundo tinha um em casa. Uma noite, um amigo do meu pai ficou chapado e me vendeu o violão dele por cinco dólares. Eu não sabia que, por ser canhoto,

---

* De "Hear My Train A Comin' (Get My Heart Back Together)": "As lágrimas me queimam/ As lágrimas me queimam os olhos/ Lá no fundo, bem no fundo da minha alma./ As lágrimas me queimam a alma…// Olha, tenho que sair dessa cidade/ Vou ser uma criança vudu/ Vou tentar ser um menino mágico./ Depois volto e compro a cidade/ Volto e compro a cidade/ Para guardar toda no meu sapato/ E quem sabe dar um pedaço pra você!"

precisava inverter as cordas, mas sentia que alguma coisa não estava certa. Lembro de pensar: "Tem alguma coisa errada aqui."

Tentei inverter as cordas, mas o violão ficou completamente desafinado. Eu não entendia nada de afinação, por isso fui até a loja e corri os dedos pelas cordas de um violão que eles tinham lá. Depois, consegui afinar o meu.

Eu tinha uns quatorze ou quinze anos quando comecei a tocar violão. Tocava no quintal de casa, e os garotos se juntavam em volta e elogiavam. Depois, me cansei do instrumento e o deixei de lado. Mas ouvir Chuck Berry fez renascer meu interesse.

Aprendi todos os riffs que pude. Nunca fiz nenhuma aula. Aprendi a tocar com os discos e o rádio. Cara, eu amava minha música. Lá em Seattle, ia para a varanda dos fundos, porque não queria ficar o tempo todo dentro de casa, e tocava acompanhando um disco de Muddy Waters. Sabe, nada mais me interessava, só a música. Eu estava tentando tocar como Chuck Berry e Muddy Waters. Queria aprender tudo e mais alguma coisa.

AOS DEZESSETE ANOS, formei uma banda com alguns outros caras, mas o som deles abafava o meu. No início, eu não entendia o que estava acontecendo. Só depois de uns três meses entendi que precisava de uma guitarra elétrica. Minha primeira foi uma Danelectro, comprada por meu pai. Eu já devia ter acabado com ele há muito tempo, mas, primeiro, tinha que mostrar a ele que sabia tocar. Naquela época, acho que eu gostava mesmo era de rock'n'roll. Tocávamos coisas de gente como o Coasters. Seja como for, todo mundo tinha que fazer as mesmas coisas antes de entrar numa banda. Inclusive repetir os mesmos passos. Comecei a procurar lugares para tocar. Lembro que minha primeira apresentação foi num depósito de armas da Guarda Nacional. Cada um dos músicos ganhou 35 centavos e três hambúrgueres.

No começo as coisas não foram nada fáceis para mim. Eu só sabia umas três músicas, e, na hora de subir ao palco, tremia tanto que tinha de tocar atrás das cortinas. Simplesmente não conseguia ir lá para a frente. A gente se sente tão inseguro. Eu escutava todas aquelas bandas, e os guitarristas sempre pareciam tão melhores do que eu.

É nesse ponto que a maioria desiste. Mas é melhor não parar. Temos que continuar, que seguir em frente. Às vezes, a frustração é tanta que ficamos com ódio da guitarra, mas isso tudo faz parte do aprendizado. Quem persiste é recompensado. Você precisa ser muito teimoso para conseguir o que quer.

Nos meus sonhos, eu via os números um, nove, seis e seis. Tinha a estranha sensação de que havia algum motivo para estar aqui e de que teria a oportunidade de ser ouvido. Me dei bem com a guitarra porque ela era tudo o que eu tinha. Olha, pai, um dia eu vou ser grande, vou ser famoso. Vou chegar lá, cara!

> *A little boy inside a dream*
> *Just the other day*
> *His mind fell out of his face*
> *And the wind blew it away.*
> *A hand came out from heaven*
> *And pinned a badge on his chest*
> *And said, get out*
> *There, man,*
> *And do your best.**

[Em maio de 1961, Jimmy foi preso dirigindo um carro roubado. Recebeu uma pena de dois anos com suspensão condicional depois que o defensor público disse ao juiz que ele pretendia se alistar nas forças armadas.]

---

* De "Astro Man": "Um menininho dentro de um sonho/ Um dia desses/ Deixou a mente cair da cara/ E ser levada pelo vento./ Uma mão veio do céu,/ pregou um distintivo em seu peito/ e disse, vai/ Lá, cara,/ e dê o seu melhor."

Jimmy ao juiz:

"Sim, senhor. Estou pensando em ser paraquedista."

Eu tinha dezoito anos e nenhum centavo no bolso. Depois de sete dias na geladeira por ter andado, sem saber, num carro roubado, sabia que, mais cedo ou mais tarde, teria de ir para o exército. Então, entrei no primeiro centro de recrutamento que encontrei e me apresentei como voluntário. Na época, eu pensava em ser músico. Já andava tocando uma coisa ou outra. Sabia umas quatro músicas na guitarra. Sabia fazer barulho, nada de mais. Queria estar com tudo resolvido antes de tentar a carreira musical, para que eles não me chamassem no meio de alguma coisa que estivesse acontecendo.

Sem nenhuma formação musical, eu não podia me alistar como músico. Pensando em levar a coisa a sério, entrei para os paraquedistas. Fiz isso porque estava entediado, mas foi no exército que aprendi o que é o verdadeiro tédio. Não existe nada mais monótono do que passar um dia inteiro descascando batatas.

Odiei o exército desde o primeiro momento.

[Pouco depois da morte de Lucille, Willene, uma amiga de Al, foi morar na casa dos Hendrix e trouxe a filha, Willette.]

CARTA PARA A FAMÍLIA, JUNHO DE 1961:

Caros sr. e sra. James A. Hendrix,
Bem, já está na hora de escrever. Acontece que tivemos muita coisa aqui para fazer. Como está todo mundo aí? Espero, de verdade, que bem. O clima aqui é bastante bom, mas às vezes venta muito, porque estamos a apenas três quilômetros do oceano. Não posso escrever demais porque ainda precisamos dar uma arrumada na caserna antes de deitar. Eu só queria que vocês

soubessem que continuo vivo, ainda que por pouco. Meu cabelo está todo raspado, todo mesmo, e preciso me barbear. Só fiz a barba duas vezes até agora, contando com hoje, desde que estou aqui. Só poderei vê-los daqui a uns dois meses – isso se tiver sorte. O motivo é que estamos no treinamento básico. Embora esteja aqui há cerca de uma semana, parece que já se passou um mês. O tempo demora muito para passar, mesmo com tanta coisa para fazer. Como vai o negócio da jardinagem? Espero que esteja indo bem. Acho que no exército gasta-se mais do que na vida civil. Até agora, já tivemos que comprar sacos para roupa suja a um dólar cada, um chapéu por 1,75, dois cadeados por oitenta centavos cada, três toalhas por cinquenta centavos cada, um jogo de carimbos por 1,75 dólar, um corte de cabelo por um dólar, um kit para engraxar sapatos por 1,70, aparelho, lâminas e creme de barbear por 1,70 e galões para o uniforme por cinquenta centavos. Parece, portanto, que, do ponto de vista financeiro, a coisa não é tão boa quanto eu pensava...

Só vamos receber em 30 de junho de 1961, então eu queria saber se poderiam me mandar cinco ou seis dólares. Eles só nos deram cinco dólares na chegada, dos quais sobrou 1,50, que não vai durar nem mais um minuto por aqui. Se puderem mandar o dinheiro, posso e devolverei tudo no final do mês, quando chega nosso pagamento. Quando estivermos mais situados as coisas ficarão bem melhores. O problema é só este mês, que está complicado. Bom, agora tenho mesmo que terminar. Se tiverem tempo, por favor me escrevam contando o que se passa por aí.

Transmitam a todos o meu amor – a Vovó, Gracie, Willie May, tio Frank, Betty, etc., etc.

Do James, com amor

p.s. Por favor, se puderem, mandem uns dólares o mais rápido possível – obrigado.

O treinamento não era nada fácil. Foi a pior coisa pela qual já passei. Estavam sempre tentando descobrir qual era nosso limite. Havia o que chamávamos de "suplício suspenso". Deixam você pendurado numa corda, por um cinturão, com os pés a poucos centímetros do chão. Às vezes, você fica assim por uma hora inteira, e se o cinturão não estiver muito bem posicionado, isso vira um inferno. E eles só nos davam três segundos para vestir o cinturão. Queriam nos ensinar a ser durões – então tínhamos que dormir na lama. A ideia era ver até onde conseguiríamos suportar. Aguentei firme. Estava determinado a não fraquejar.

CARTA À FAMÍLIA, OUTUBRO DE 1961:

> Querido pai,
> Acabo de receber sua carta e estou muito contente em saber que o senhor está bem e que Leon está com você. Fui pego de surpresa e fico muito feliz com isso, pois sei que o senhor às vezes fica, ou melhor, ficava, muito sozinho aí. É assim que me sinto quando começo a pensar no senhor e nos outros – e em Betty. Diga para Leon fazer o que deve ser feito, como o senhor me dizia, porque, mais tarde, terá valido a pena. Fico muito feliz também por saber que o senhor comprou uma televisão e que está dando uma ajeitada na casa. Continue com o bom trabalho que eu vou dar meu melhor para me tornar um PARAQUEDISTA e honrar nosso nome. Vou me esforçar ao máximo. Vou conseguir, para que toda a família Hendrix tenha o direito de usar o emblema da Águia da Divisão Aerotransportada do Exército dos EUA (sorria)! Fique sossegado que quando o senhor me vir de novo estarei usando o distintivo do orgulho. Assim espero.
> Ao Papai Hendrix de seu filho. Com amor, James
> p.s. Por favor, mande minha guitarra assim que possível – preciso muito dela agora – ela ainda está na casa da Betty.

DE OUTRA CARTA PARA A FAMÍLIA:

Há duas semanas, não há nada aqui além de treinamento físico e abusos. Mas é depois, na escola de saltos, que começa o inferno de verdade! Eles tiram NOSSO COURO! Nada do que você faz é suficiente. Temos que fazer dez, quinze ou 25 flexões – o dia inteiro empurrando o Tennessee com minhas próprias mãos – na serragem molhada, num frio de seis graus abaixo de zero. Aqui o bicho pega, e metade dos candidatos desiste. É assim que eles separam os homens dos meninos. Eu rezo para estar no lado dos homens.

Tive que comprar dois pares de coturnos, quatro fardas sob medida e vinte distintivos com a figura da águia. Você sabe o que esse emblema representa? A 101ª DIVISÃO AEROTRANSPOR-TADA, Fort Campbell, Kentucky – sim, é isso mesmo!

CARTA À FAMÍLIA, NOVEMBRO DE 1961:

Bem, aqui estou eu, exatamente onde queria estar, na 101ª Divisão Aerotransportada. Saltamos de uma torre de dez metros em nosso terceiro dia por aqui. Foi quase uma diversão. Fomos os nove primeiros de mais ou menos 150 em nosso grupo. Ao subir as escadas até o alto da torre, eu caminhava tranquilo, a passos lentos, com toda a calma. Três caras desistiram quando chegaram lá em cima. Eles deram uma olhada para fora e desistiram na hora. Podemos desistir quando quisermos. E isso me passou pela cabeça enquanto subia aqueles degraus, mas me convenci de que, aconteça o que acontecer, não vou sair por vontade própria.

Quando cheguei lá no alto, o instrutor de salto prendeu as duas fitas ao meu cinturão, me deu um tapa na bunda e disse no meu ouvido: "Vai, vai, VAI!" Vacilei por uma fração de segundo e, quando me dei conta, já estava caindo. De repente, a linha esticou e senti um tranco, como o estalo de um chicote, e comecei a deslizar pelo cabo... Desci de pernas juntas, com as mãos no paraquedas reserva e o queixo enfiado no peito. Bati direto numa duna de areia. Mais tarde, eles vão nos ensinar como evitar isso, levantando os pés, é claro. Mas eu estava de costas para a areia. Bem, foi uma experiência nova.

Com amor, James

Acho que os saltos de paraquedas foram a melhor coisa do exército. Saltei umas 25 vezes. Nunca havia feito nada tão emocionante. É tão divertido quanto parece, desde que você consiga ficar de olhos abertos.

O primeiro salto é mesmo fora do comum. Imagine estar lá, num avião, sendo que alguns dos caras NUNCA tinham andado de avião antes. Tinha gente vomitando num balde grande, sabe, numa latona de lixo deixada lá no meio. Foi incrível!

E então o avião está fazendo ROOOOOOOOMMM!!! Roncando e balançando, e dá até para ver os rebites se mexerem. Mas e eu, o que estou fazendo aqui? Estou lá na porta e, de repente, pumba! Vuumm! Por uma fração de segundo um pensamento passou pela minha cabeça: "Você é louco!"

A sensação física era a de cair para trás, como num sonho. É quase como um desmaio, e é quase como chorar, e dá vontade de rir. É algo muito pessoal, porque quando estamos lá tudo é tão silencioso. Tudo o que ouvimos é o sssssshhhhhhh da brisa. É o sentimento mais solitário do mundo. Você está lá completamente sozinho, e pode falar bem alto, gritar, fazer o que der vontade. E foi então que pensei que eu só podia estar louco para fazer aquilo, mas mesmo assim eu adorei.

Então a gente sente um puxão no pescoço e precisa olhar para cima e ver se o paraquedas abriu. A cada salto temos medo de que, dessa vez, o paraquedas não abra. E aí você olha e vê aquele grande e belo cogumelo branco sobre sua cabeça. É aí que você começa a falar sozinho de novo e diz: "Graças a Deus."

Mas o exército é um inferno. Eu estava servindo no Kentucky. O estado fica bem na fronteira entre o Norte e o Sul, e naquele campo tínhamos alguns dos mais intragáveis lambe-botas. E tinha uns oficiais que... cara! Era terrível! Não me deixavam chegar perto de nada que tivesse a ver com música. São eles que dizem o que a gente quer e o que a gente não quer, você não tem escolha. O exército é mais para quem gosta que lhe digam o que fazer.

Fiquei lá por quinze meses, mas me machuquei num salto e tive problemas com a disciplina. Um dia, meu tornozelo prendeu num gancho bem na hora do salto e quebrou. Eu disse a eles que minhas costas também doíam. A cada vez que me examinavam eu gemia, até que eles finalmente acreditaram em mim.

Tive a sorte de sair na hora certa, escapei do Vietnã.

CAPÍTULO DOIS

(*Julho de 1962 – Setembro de 1966*)

HIGHWAY CHILE

His guitar slung across his back,
His dusty boots is his Cadillac.
Flamin' hair just a-blowin' in the wind,
Ain't seen a bed in so long it's a sin.
He left home when he was seventeen,
The rest of the world
He had longed to see,
And everybody knows the boss
A rollin' stone gathers no moss.
Now, you probably call him a tramp,
But it goes a little deeper than that,
He's a highway chile.

Walk on, brother.
Don't let no one stop you!*

---

* "A guitarra pendurada nas costas,/ As botas enlameadas nó Cadillac./ Os cabelos de fogo soltos no vento,/ Tanto tempo sem ver uma cama chega a ser pecado./ Ele tinha dezessete quando saiu de casa,/ Para ver o resto do mundo/ Que sonhava conhecer./ E todo mundo sabe quem é que manda./ Pedra que rola não cria limo./ Agora, vocês devem estar dizendo que é um vagabundo,/ Mas é um pouco mais que isso,/ Ele é uma criança da estrada.// Vá em frente, irmão./ Não deixe ninguém parar você!"

[Jimmy foi dispensado do exército em julho de 1962.]

CERTA MANHÃ, me vi do lado de fora do portão de Fort Campbell, na divisa entre o Tennessee e o Kentucky, com minha bolsinha de pano e uns trezentos ou quatrocentos dólares no bolso. Eu estava voltando para Seattle e tinha muito chão pela frente. Mas havia uma garota e eu estava meio que gamado nela.

Então resolvi dar uma passada em Clarksville, que ficava perto, passar a noite na cidade e seguir para casa na manhã seguinte. Fui numa espelunca ouvir jazz e tomar alguma coisa. Gostei do lugar e fiquei por lá. Dizem que eu às vezes fico um bobo de coração mole. Bem, parece que naquele dia eu estava me sentindo muito generoso. Acho que eu devo ter distribuído notas a qualquer um que pedisse. Quando saí, só me restavam dezesseis dólares! E é preciso mais do que isso para ir do Tennessee até Seattle, afinal são mais de 3 mil quilômetros. Portanto, nada de ir para casa!

A primeira coisa que pensei foi em fazer um interurbano e pedir a meu pai que mandasse algum dinheiro, mas eu imaginava o que ele diria se contasse que havia perdido quase quatrocentos dólares em um dia. Nem pensar. No exército, eu havia começado a tocar mais a sério e me ocorreu que minha única opção seria tentar ganhar alguma grana com a guitarra.

Daí me lembrei que tinha vendido a guitarra para um cara da unidade. Então, voltei para Fort Campbell, encontrei o sujeito e disse que precisava que ele me emprestasse o instrumento de volta.

Levei algum tempo para me recuperar das lesões. Quando fiquei bom, segui para o Sul. Toquei em bares, em clubes e nas ruas. No começo, não foi nada fácil. Eu vivia uma vida miserável. Dormia onde podia e, para comer, tinha que roubar. Cheguei a ganhar algum dinheiro, mas não gostava nem um pouco daquilo. Foi quando montei uma banda, King Kasuals, com um camarada chamado Billy Cox, que tocava um baixo super da pesada.

Em Clarksville, trabalhamos para uma tal de W & W. Cara, era um esquema que pagava tão mal que começamos a dizer que os dois Ws significavam "Wicked and Wrong" [Perverso e Errado]. Essa agência musical de quinta era capaz de subir no palco no meio de uma música, enfiar o pagamento no bolso da gente e desaparecer. Quando acabávamos de tocar e eu tinha tempo de conferir o envelope, encontrava só dois ou três dólares em vez de dez ou quinze.

Foi então que fizemos amizade com o dono de um clube que parecia gostar muito da gente e nos comprou equipamentos novos. Eu ganhei um amplificador Silverstone e os outros, Fender Bandmasters. Mas, além de levar nosso dinheiro, o cara estava meio que freando nosso progresso. O jeito foi me mudar mais uma vez.

Fui para Nashville, onde vivi num grande edifício em construção. O piso ainda não tinha sido colocado e não havia telhado, então tínhamos que dormir sob as estrelas. Era uma loucura.

Todo domingo de tarde íamos até o centro da cidade ver os tumultos raciais. O combinado era ligar para alguns amigos e dizer: "Vamos estar lá gritando com você hoje à noite, então não deixe de ir."

Levávamos cestas de piquenique, porque os restaurantes não nos serviam. Um grupo ficava de um lado da rua e o resto do outro. Gritavam palavrões, falavam da mãe uns dos outros e de vez em quando se esfaqueavam. Isso durava algumas horas, depois íamos todos para alguma boate e tomávamos um porre. Às vezes, quando passava um filme bom no domingo, não havia nenhum tumulto.

Quando criança, eu tinha a ambição de andar de cabeça erguida, de entrar num restaurante "branco" e pedir um bife "branco" sem medo de levar na cara. Mas, no geral, não pensava muito nisso. Eu tinha coisas mais importantes para fazer – como tocar guitarra.

Em Nashville eu tocava de tudo, até um pouco de rockabilly. Lá, todo mundo sabe tocar guitarra. Você anda pela rua e vê as pessoas sentadas nas varandas tocando…

Foi lá que eu aprendi a tocar de verdade.

COMECEI A TOCAR GUITARRA em Seattle, no Norte, e lá não existem muitos cantores de blues de verdade. Quando fui para o Sul, todo mundo estava tocando blues, e foi aí que comecei a me interessar mais pelo estilo. Eu ficava ouvindo os blueseiros tocarem e consegui pegar o jeito.

Adoro "folk blues". "Blues" para mim significa Elmore James, Howlin' Wolf, Muddy Waters e Robert Johnson. Gosto de Robert Johnson. Ele é demais. É o tipo de música que mexe com a gente, que passa uma mensagem. Isso não significa que "folk blues" seja o único tipo de blues do mundo. Cada um pode ter seu próprio blues. Todos têm algum tipo de blues para oferecer, sabe?

Em Atlanta e na Geórgia tem uns caras bons, como Albert King e Albert Collins. Albert King toca só de uma forma – apenas funk blues puro e simples, a nova guitarra do blues, um som bem jovem e funky –, e acho isso o máximo. É um dos músicos mais da pesada que já ouvi. Ele só toca daquele jeito, então o negócio dele é aquilo.

A maioria dos guitarristas é do Sul. Lá, o maior guitarrista que você já ouviu pode estar tocando numa boate vagabunda e a gente às vezes não sabe nem o nome dele.

A CENA DE NASHVILLE era engraçada, com todos aqueles empresários espertos tentando assinar contratos com cantores caipiras que nunca haviam estado numa cidade grande. Era uma espécie de jogo, uma grande enganação, do começo ao fim. Todos querendo passar a perna uns nos outros. Mas, se você soubesse andar de olho bem aberto, dava para dar umas boas risadas.

Em Nashville, conheci um cara chamado Gorgeous George, e ele me chamou para algumas turnês. E assim comecei a viajar e tocar pelo Sul. Era um público dos mais complicados. A gente tem que tocar muito bem, porque essa gente não aceita qualquer coisa. Eles sabem o que é bom. É o som que eles escutam o tempo todo. Tocávamos em bares, em cima de uma plataforma, fazia um calor danado e os fãs queriam sempre mais. Tinha uns caras que pulavam em cima da guitarra e outros que tocavam com ela atrás da cabeça, ou com os dentes ou os cotovelos. Às vezes eles trocavam os instrumentos, só de farra.

Teve um sujeito que tentou me fazer tocar com a guitarra atrás da cabeça, porque eu ficava sempre muito parado. Eu disse: "Ah, cara, por que alguém ia querer fazer uma palhaçada dessas?" E então, de repente, a gente começa a se aborrecer, porque não é fácil agradar aquela gente. Foi numa cidade do Tennessee que tive a ideia de tocar guitarra com os dentes. Lá, você tem que tocar com os dentes se não quiser levar um tiro! Dá para ver o rastro de dentes quebrados espalhados pelo palco.

Depois disso, viajei pelo país todo, tocando em vários grupos. Meu Deus, nem consigo lembrar o nome de todos eles. Eu entrava e saía das bandas tão rápido! E lá estava eu numa banda que tocava os maiores sucessos do soul e do R&B, todos de sapatos de couro envernizado e com o mesmo corte de cabelo.

Acontece que quem está na estrada com a barriga vazia toca quase qualquer coisa. Eu já não aguentava mais tocar "In the Midnight Hour". Dos guitarristas que ouvia, nenhum trazia nada de novo, eu estava louco de tédio.

Aprendi como não montar uma banda de R&B. Acho que o problema era que tinha um monte de líderes de banda que não queriam pagar ninguém. Vi gente ser demitida no meio da estrada porque estava falando alto demais no ônibus ou porque o líder devia muito dinheiro a eles, ou qualquer coisa assim. Grana curta, vida dura e demissão – naquela época era assim.

Fiquei em Buffalo por um ou dois meses, fazia um frio danado lá. Diferente do friozinho de Seattle, que não é tão cortante. Mas acontece que tinha uma garota em Buffalo que estava tentando me enfeitiçar, fazendo uns trabalhos de vudu para me segurar lá, sabe? Tem várias coisas diferentes que eles podem fazer. Podem misturar algo na sua comida, podem pôr um pouco de cabelo no seu sapato. Garota doida! Mas ela deve ter tentado sem muita convicção, porque só passei uns dois ou três dias doente no hospital.

Você não imagina que essas coisas possam mesmo acontecer até que acontecem com você. Só digo o seguinte: quando acontece, é apavorante. Nos estados do Sul tem dessas coisas. Eu vi. Se eu vejo ou sinto algo acontecer, eu acredito. As pessoas emitem certos choques elétricos, então, se as vibrações são fortes o bastante para fazer com que esses feitiços funcionem, os efeitos podem ser reais.

Em seguida fui para Nova York, onde tirei o primeiro lugar no concurso de amadores do Apollo, 25 dólares, sabe? Curti tocar no Apollo Theater. Então fiquei por lá, e passei fome por duas ou três semanas. Só conseguia trabalho uma vez na vida e outra na morte. Vivia em condições terríveis. Dormir no meio das latas de lixo, entre os prédios altos, era um inferno. Os ratos andam pelo seu peito, as baratas entram no seu bolso para roubar sua última barra de chocolate. Cheguei a comer casca de laranja e extrato de tomate.

As pessoas diziam: "Se você não arranjar um emprego, vai morrer de fome." Mas eu não queria trabalhar com nada que não fosse música. Tentei algumas coisas, como transporte de automóveis, mas nunca aguentava mais de uma ou duas semanas. A falta de grana me preocupava um pouco, mas não o suficiente para me fazer roubar um banco.

Foi quando um dos Isley Brothers me ouviu tocar num clube e disse que tinha uma vaga para mim. Toquei com eles durante algum tempo. Eles queriam que eu fizesse uma série de coisas (tocar com os dentes etc.), porque acho que assim ganhavam mais dinheiro. Na maioria das bandas, não me deixavam fazer o que eu queria.

Mas, no final das contas, não foi tão incrível assim. Eu tinha que dormir nos clubes onde eles tocavam, infestados de ratos e baratas. Durante a noite, aqueles bichos malditos ficavam andando em cima de mim! Em Nashville, deixei os Isley Brothers. Cansado de cantar o tempo todo em fá maior, guardei meu terno branco de mohair e meus sapatos de couro envernizado e fui tocar nas esquinas outra vez.

Alguns meses depois, chegou à cidade um grupo de soul, com Sam Cooke, Solomon Burke, Jackie Wilson, Hank Ballard, B.B. King e Chuck Jackson. Consegui um bico tocando na banda de apoio. Minha técnica melhorou horrores acompanhando essas figuras todas as noites.

Então perdi o ônibus em Kansas City, no Missouri, e, sem dinheiro, acabei ficando para trás. Apareceu um grupo que me levou de volta para Atlanta, na Geórgia, onde conheci Little Richard. Fiz uma audição com ele, que gostou de mim. Cheguei a passar algum tempo tocando com Richard, mas comecei a sentir que não conseguiria me desenvolver de verdade sob sua influência.

Ele não me deixava usar camisas com babados no palco. Uma vez, cansados de andar uniformizados, eu e Glen Willings aparecemos com umas camisas extravagantes. Depois do show, Little Richard falou: "Irmãos, precisamos ter uma conversa. Eu sou Little Richard. Sou o Rei do Rock'n'Rhythm e o único que pode ficar bonito no palco. Glen e Jimmy, façam o favor de tirar essas camisas, ou então vão ter que pagar uma multa."

Outra de suas conversas foi sobre meu cabelo. Eu disse que ninguém me faria cortá-los.

"Então a multa será de cinco dólares."

Se os cadarços de nossos sapatos não fossem da mesma cor, tínhamos que pagar cinco dólares.

Todo mundo que trabalhava com ele sofria uma lavagem cerebral.

Acho que toquei com Little Richard por uns cinco ou seis meses. Trabalhei com ele por todo o país, até que fomos para Los Angeles, onde decidi que já tinha tido o suficiente. Saí por conta de um desentendimento sobre dinheiro. Ele ficou cinco semanas e meia sem nos pagar. Na estrada, não dá para viver de promessas, então tive que dar um basta naquela situação.

VOLTEI PARA NOVA YORK e toquei com um pequeno grupo de rhythm and blues chamado Curtis Knight and the Squires. Gravei alguns discos e fiz o arranjo de algumas músicas dele. Toquei também com King Curtis e Joey Dee. Toquei na Cleveland Arena com Joey Dee and the Starliters, em alguns shows que tiveram a participação de Chubby Checker.

Veja bem, quando me juntei a Joey Dee and the Starliters eu estava saltando do fogo para a frigideira. A banda é incrível, mas... ninguém falava comigo! Eu era só mais um guitarrista preto. Então, tive que abrir mão do salário que recebia tocando "Peppermint Twist" e fui parar numa banda desconhecida, que tocava músicas da parada de sucessos. Acabei saindo dessa banda também.

Tudo o que eu tinha era um "sanduíche de desejos" – duas fatias de pão e o desejo de ter um pedaço de carne entre elas.

CARTA DE NOVA YORK PARA CASA, AGOSTO DE 1965:

> Eu só queria que o senhor soubesse que continuo aqui, tentando dar certo.
>
> Embora eu não coma todos os dias, está tudo bem comigo. Ainda tenho minha guitarra e meu amplificador, e enquanto os tiver nenhum idiota pode me impedir de viver.

Visitei umas gravadoras e acho que posso gravar alguma coisa para elas. Acho que vou começar a trabalhar nessa direção, porque quem quer construir o próprio nome tem que trabalhar por conta própria e não tocando na banda dos outros. Mas peguei a estrada com outros músicos para ganhar exposição junto ao público e ver como se faz e ter uma noção das coisas. Quando lançar um disco, já vou ser conhecido por algumas pessoas, que poderão ajudar a vendê-lo. Hoje em dia ninguém quer que você cante bem. Querem que você seja um cantor desleixado, mas que suas músicas tenham uma boa batida. É nisso que vou apostar. É aí que está a grana. Então, se daqui a uns três ou quatro meses o senhor ouvir um disco que soe terrível, não se envergonhe, apenas espere o dinheiro começar a entrar. A cada dia as pessoas cantam pior, de propósito, e os discos vendem cada vez mais.

Podia ser pior, mas vou continuar na luta até conseguir tudo o que mereço. Diga a todos que mandei um alô. Leon, vovó, Ben, Ernie, Frank, Mary, Barbara e todos os outros. Por favor responda logo. Me sinto muito sozinho aqui, sem ninguém por perto. Que no futuro tudo seja melhor e mais feliz.

    Com amor, do seu filho Jimmy

Eu estava cansado, cara. Já não aguentava mais. Cheguei a perder a conta de quantas vezes tive que tocar as mesmas notas, o mesmo compasso. Lá, eu não era mais do que uma sombra, não conseguia enxergar nenhum sentido verdadeiro. Queria ter meu espaço, fazer minha própria música. Eu sempre quis muito, sabe? Sempre. Eu estava começando a ver que, com a guitarra elétrica, era possível criar toda uma nova realidade, porque não existe nenhum som parecido no mundo todo!

Eu estava com o cérebro cheio de ideias e sons, mas era difícil encontrar alguém com quem fazer o que estava na minha cabeça. Eu dizia para os meus amigos do Harlem: "Vamos para o Village tentar alguma coisa juntos."

Mas eles tinham preguiça, tinham medo e achavam que não iam receber nada. Eu dizia: "É claro que vocês não vão ser pagos pela audição, porque somos nós que vamos lá, vamos nos impor, chegar até eles. No início, a gente tem que abrir mão de algumas coisas." Eles não estavam dispostos a fazer isso, então fui até o Village e comecei a tocar do jeito que eu queria.

No Greenwich Village as pessoas eram mais simpáticas do que no Harlem, onde só existe frieza e mesquinharia. Eu não suportava aquilo, em nenhum lugar do mundo falam tão mal da gente quanto lá! No período que passei no Harlem, usava o cabelo bem comprido e, de vez em quando, o prendia ou fazia qualquer coisa com ele. Eu andava pela rua e de repente os garotos, as garotas, senhoras – todo tipo de gente! – ficavam me olhando de lado e dizendo: "Ai, o que será isso? O Jesus Negro?" ou "O que é isso, foi o circo que chegou?".

Meu Deus! Na nossa própria área.

Quem mais nos machuca é nossa própria gente.

O Village era incrível. Eu ficava lá de bobeira, ganhava uns dois dólares por noite tocando e então tinha que encontrar um lugar para dormir. Para ter onde ficar, a gente tinha que passar uma cantada em alguém o mais rápido possível. Tive a sorte de tocar para John Hammond Jr. no Cafe Au Go Go. Foi incrível, porque o teto era muito baixo e empoeirado. Dava para enfiar a guitarra no forro. Era como na guerra. Não precisava nem de bomba de fumaça!

Na mesma época em que estive no Village, Bob Dylan também andava passando fome por lá. Cheguei a vê-lo uma vez, mas estávamos ambos num porre dos diabos, fora do ar de tanta cerveja. Foi num lugar chamado

Kettle of Fish. Tenho uma vaga lembrança. Estávamos tão chapados que só ficamos lá rindo. É, apenas rindo.

Da primeira vez que ouvi Dylan, fiquei admirado com sua coragem de cantar tão desafinado. Foi então que comecei a prestar atenção nas letras e aprendi a gostar dele.

Eu me cansava muito rápido, de tudo e de todos. Foi por isso que me aproximei de Dylan, porque ele me oferecia algo completamente novo. Ele andava sempre com um bloco para anotar o que via à sua volta. Ele não precisava estar chapado para compor, mas geralmente estava. Um cara como ele não precisa disso. Jamais consegui escrever letras como as dele, mas de certa forma ele me ajudou, já que tenho milhares de músicas que nunca vão ficar prontas. Eu simplesmente paro e escrevo duas ou três palavras, mas agora estou um pouco mais confiante para tentar terminar uma letra.

CARTÃO-POSTAL PARA AL HENDRIX, 1966:

> Querido pai.
> Bem... eu só queria escrever umas poucas linhas para que o senhor soubesse que vai tudo mais ou menos nesta grande e escabrosa cidade de Nova York. Está tudo dando errado por aqui. Espero que todos aí em casa estejam bem. Diga ao Leon que eu mandei um alô. Vou escrever uma carta em breve e tentarei mandar uma foto decente para o senhor. Espero que fique bem até lá. Diga ao Ben e ao Ernie que eu toco blues de uma maneira que eles NUNCA ouviram antes.
>
> Com amor, sempre, Jimmy

A primeira vez que eu mesmo montei uma banda de verdade foi com Randy California. Acho que isso foi lá pelo começo de 1966. Mudei meu nome para Jimmy James e batizei o grupo de Blue Flames. Nada original, não é?

Quase imediatamente recebemos propostas da Epic e da CBS, mas eu sentia que ainda não estávamos preparados. As gravadoras haviam começado a demonstrar algum interesse em mim quando eu estava tocando no Cafe Au Go Go, e, um ano antes, Mick Jagger havia tentado me colocar numa turnê. Mas meu grande golpe de sorte veio quando um camaradinha inglês convenceu Chas Chandler, o baixista do Animals, a vir dar uma escutada lá onde estávamos tocando.

O Animals estava fazendo seu último show junto no Central Park. Chas veio, me ouviu tocar e perguntou se eu gostaria de ir para a Inglaterra montar uma banda. Ele me pareceu um cara bem sincero, e eu ainda não conhecia a Inglaterra.

Eu disse: "Acho que sim", porque é assim que eu vivo a vida. Se eu nunca tivesse ido a Memphis, seria capaz de passar fome para chegar lá. Eu não tinha nenhuma raiz, nada que me prendesse aos Estados Unidos, e não importa em que parte do mundo eu estou desde que possa viver e fazer as minhas coisas. Além disso, lá eu poderia tocar mais alto, poderia tomar um rumo na vida. Lá eu não teria tanta coisa para me atravancar, saca?, bloqueios mentais e coisas do tipo. O ambiente americano estava me sufocando. O país não estava se abrindo tanto quanto a Inglaterra.

Só espero que os caras que eu deixei para trás estejam bem. Estávamos ganhando uns três dólares por noite e passando fome. O jeito que eu saí não foi muito legal. Eles estavam todos pensando que iam também, mas, para mim, era mais fácil ir sozinho. Me senti meio mal comigo mesmo por sair daquele jeito, mas aquilo não era vida, entende?

Sempre tive a sensação de que, se estivesse certo, um dia eu teria uma chance. Levei muito tempo perambulando e tocando em troca de uma ninharia, mas acho que valeu a pena. Caramba! Acho que eu não aguentaria mais um ano tocando em função dos outros.

Ainda bem que Chas me salvou.

CAPÍTULO TRÊS

(*Setembro de 1966 – Junho de 1967*)

ARE YOU EXPERIENCED?

I know, I know you'll probably scream

And cry

That your little world won't let you go.

But who in your measly little world

Are you trying to prove that

You're made out of gold and can't be sold.

So, are you experienced?

Have you ever been experienced?

Well, I have.

Let me prove it to you…*

---

* "Eu sei, eu sei que você deve gritar/ E chorar/ Que o seu mundinho não quer deixar você ir./ Mas a quem nesse mundinho miserável/ Você quer provar/ Que é feito de ouro e não está à venda?/ Então, você tem experiência?/ Você algum dia já viveu uma experiência?/ Bem, eu já. / E vou provar a você…"

Estou na Inglaterra, pai. Conheci umas pessoas, e elas vão fazer de mim uma grande estrela. Mudamos meu nome para... jimi.

23 de setembro de 1966. Foi nesse dia que cheguei à Inglaterra. Tive que esperar no aeroporto durante três ou quatro horas porque eu não tinha um visto de trabalho. Em certo momento chegaram a falar sobre me mandar de volta para Nova York até que tudo estivesse resolvido. Agiam como se eu fosse fazer um monte de dinheiro na Inglaterra e depois levar tudo de volta para os Estados Unidos!

Me mudei para um apartamento com Chas Chandler. Antes, ele era do Ringo. Na verdade, só outro dia vieram buscar a bateria. Há estéreos por toda parte e um banheiro muito bizarro cheio de espelhos. As reclamações começaram imediatamente. Começamos a receber queixas de festas com som alto tarde da noite mesmo quando não estávamos na cidade! A gente voltava na manhã seguinte e ouvia todas essas reclamações. Chas ficou realmente furioso por causa disso, mas eu não me deixei incomodar.

A primeira vez que toquei guitarra na Inglaterra foi com o Cream. Gosto da maneira de tocar de Eric Clapton. Seus solos soam como os de Albert King. Eric é simplesmente demais. E Ginger Baker, ele parece um polvo, cara. É mesmo um baterista nato. Quando ele está tocando, tudo o que vemos são braços e pernas.

Não pude trabalhar muito porque não tinha um visto. Se eu quisesse ficar na Inglaterra, precisava ter trabalhos suficientes para conseguir um visto longo. Então, o que tínhamos de fazer era programar uma apresentação atrás da outra. Chas tem o telefone de muita gente. Ele me ajudou a encontrar um baixista e um baterista para formar o Jimi Hendrix Experience. Foi muito difícil achar os músicos certos para me acompanhar, gente que sentisse o mesmo que eu.

Depois de muitos testes, fizemos uma jam e Noel Redding apareceu por lá. Ele tinha vindo fazer uma audição para o New Animals, e, por acaso, estávamos no mesmo prédio. Noel gosta de um bom rock sem frescuras e tocava guitarra num grupo chamado The Loving Kind. Chas sugeriu que ele experimentasse tocar baixo. Curti o cabelo dele. Tudo funcionou com perfeição. Noel toca baixo com cabeça de guitarrista. É o que fazem quase todos os grandes baixistas. Eu o escolhi porque ele era capaz de tocar QUALQUER COISA no baixo.

Testamos uns vinte bateristas e Mitch Mitchell foi o melhor. Ele tocava com Georgie Fame and the Blue Flames e tinha saído da banda dois dias antes. Ele é um baterista mais clássico, do tipo R&B funky. Mitch é viciado em jazz e fica o tempo todo falando nesse tal de Elvin Jones. Uma vez ele me mostrou um disco de Jones e eu disse: "Cacete, é você tocando!"

Eu queria o menor conjunto possível com o máximo de impacto. Podiam ter sido dois, vinte ou dez músicos – mas acabou saindo um trio, o que é ótimo. Acho que ter um guitarrista para fazer o acompanhamento acabaria atrasando tudo, porque eu teria de mostrar a ele exatamente o que eu queria. Se você quer fazer alguma coisa é melhor fazer você mesmo, certo?

Até chegamos a tentar o órgão, por uns quinze minutos. Fazia com que soássemos iguais a todo mundo. Esse esquema de trio nos dá muita flexibilidade. Ainda conseguimos improvisar bastante, algo que faz falta a muitos outros grupos. Se eu tivesse dois bluseiros comigo acabaríamos parando no mesmo saco, o do blues, e não é isso que eu quero. Quer dizer, eu amo o blues, mas não ia querer passar a noite toda tocando a mesma coisa. Tem certos blues que, para mim, são intragáveis. Não me despertam nenhum sentimento. Não vamos entrar nesse lance de "Midnight Hour".

Com a gente não tem essa de "Faça isso, faça aquilo!", ninguém pode nos dizer "Toque assim ou assado!".

Não queremos ser classificados em nenhuma categoria. Minha música não é pop. Sou EU. Na minha guitarra as notas são minhas, são nossas, não importa de onde tenham vindo.

Estamos tentando criar nosso próprio som, nossa própria música, nossa essência única. Estamos cuidando de nossa própria história particular, do que nós somos, até que isso fique claro dentro de nós.

É um trabalho de base, do fundamento da imaginação. *Mas é uma coisa bem primitiva, sabe.* É por isso que eu gosto que nosso nome seja EXPERIENCE. É isso mesmo.

[13 a 18 de outubro de 1966, turnê de Johnny Hallyday.]

Quatro dias depois de formarmos a banda, estávamos tocando no Olympia de Paris com Johnny Hallyday, que é uma espécie de Elvis francês. Tocamos "In the Midnight Hour", "Land of a Thousand Dances", "Everyone Needs Someone to Love" e "Respect". Adoro o público do Olympia, é incrível. Na Europa, sucesso é tocar no Olympia de Paris, e os garotos de lá são como os do Apollo, no Harlem. Quer dizer, eles realmente entendem o que está acontecendo. Lá, ou você é bom ou está morto. Da primeira vez que tocamos lá, eles ficaram sentados de boca aberta sem saber como reagir. Mas não deixaram de escutar. Eu curti muito isso. Foi lindo.

Quando subimos ao palco, tudo se encaixa e acho que é isso o que importa. Mitch e Noel são dois músicos excelentes, por seus próprios méritos, e complementam tudo o que faço com bom gosto e imaginação. Quando improvisamos juntos, tentamos ouvir uns aos outros. Não fazemos muitas concessões uns aos outros. Quero dizer, quando um pensa de um jeito, não vai abrir mão disso. É claro que nem sempre concordamos totalmente quanto ao rumo que nossa música vai tomar, mas de alguma maneira conseguimos combinar as coisas da melhor forma, de alguma maneira conseguimos fazer uma canção.

Parte disso tudo está em ver a reação que recebemos quando subimos ao palco. Tocamos bem pesado nos clubes. Os gerentes dos clubes acham que somos uma abominação, mas o público nos acha o máximo. Uma vez tocamos num lugar novo em Londres, o Upper Cut, com uma plateia de 5 mil pessoas. Quase morri de medo ao ver toda aquela gente! Mas fui em frente, fiz o que sentia que tinha que fazer e deu tudo certo.

No Saville Theatre eu tinha um dispositivo na guitarra que acendia as luzes sempre que eu tocava uma determinada nota. Eu queria um dia tocar uma nota e vê-la se transformar numa cor com luzes e imagens. Seria uma experiência completa!

Os Beatles vinham nos ver de vez em quando no Saville Theatre. Paul McCartney me contou que eles tinham planos de fazer um filme [*Magical Mystery Tour*] e ele queria que participássemos. Ainda éramos desconhecidos e McCartney estava tentando nos ajudar, mas tivemos outra boa oportunidade antes que eles fizessem o filme.

Os Beatles e os Stones são muito legais longe dos microfones, mas é tudo um negócio de família, tão de família que, às vezes, tudo começa a soar meio igual. Às vezes você não quer fazer parte da família. Acho que daqui a pouco todos os discos ingleses vão soar parecidos, como tudo o que vem da Motown é parecido. De certa maneira, isso é legal, mas o que acontece quando você quer fazer as coisas do seu próprio jeito?

CARTÃO-POSTAL PARA AL HENDRIX, NOVEMBRO DE 1966:

Querido pai,
Bem... Mesmo tendo perdido o endereço, acho que devo escrever antes que eu esteja longe demais. Estamos agora em Munique, na Alemanha. Acabamos de passar por Paris e Nancy, na França. Agora estamos tocando em Londres. É onde estou ficando estes dias. Tenho meu próprio grupo e um disco que está para sair daqui a uns dois meses e que vai se chamar *Hey Joe*. Do Jimi Hendrix Experience. Espero que este cartão chegue até você. Vou escrever uma carta decente. Acho que as coisas estão indo um pouco melhor.

Com amor, do seu filho, Jimi

[16 de dezembro de 1966, primeiro single lançado no Reino Unido.]

"Hey Joe" era um número que todos nós curtíamos, por isso decidimos gravar. Enquanto estávamos trabalhando na música, acho que não a tocamos duas vezes da mesma maneira. Muita gente fez arranjos diferentes para ela, e Timmy Rose foi o primeiro a usar um ritmo lento. Gosto quando a tocam mais devagar. Devem existir umas mil versões rápidas, a do Byrds, a do Standells, a do Love e muitas outras.

Foi a primeira vez que tentei cantar numa gravação. Eu estava apavorado. Chas me fez cantar a sério. Eu gostaria muito de ser um bom cantor, mas não sou. Apenas tento sentir as palavras. Passo a noite toda tentando alcançar uma nota bonita, mas me saio melhor na performance, na atuação, do que no canto. A base para mim é a guitarra. A voz é só uma outra forma de passar o que estou fazendo musicalmente.

[Fevereiro de 1967, "Hey Joe" chega à quarta posição na parada britânica.]

"Hey Joe" é na verdade uma canção de caubói com um arranjo blues. Não é muito comercial, então fico surpreso que tenha chegado tão alto na parada de sucessos. Fico imaginando como as pessoas vão reagir a nosso próximo trabalho, que é bem diferente. Escolheram "Love or Confusion" para ser nosso próximo single, mas eu estava com essa coisa na cabeça sobre um sonho que tive em que eu andava debaixo d'água no mar. Tem a ver com uma história que li numa revista de ficção científica sobre um raio púrpura da morte. O nome da música é "Purple Haze"!

Purple haze all in my brain,
Lately things don't seem the same,
Actin' funny, but I don't know why,
'Scuse me while I kiss the sky.

Purple haze all around,
Don't know if I'm coming up or down.
Am I happy or in misery?
Whatever it is, that girl put
A spell on me!

Purple haze all in my eyes,
Don't know if it's day or night.
You've got me blowing, blowin' my mind.
Is it tomorrow or just the end
Of time?*

---

* De "Purple Haze": "Tenho o cérebro cheio de névoa púrpura,/ Parece que as coisas já não são mais as mesmas,/ Estou agindo estranho, mas nem sei por quê,/ Com licença, vou beijar o céu. // Névoa púrpura por todo lado,/ Não sei se estou subindo ou descendo./ Estou feliz ou infeliz?/ Seja como for, essa garota/ Lançou um feitiço em mim!// Tenho os olhos cheios de névoa púrpura,/ Não sei se é dia ou noite./ Você me fez perder, perder a cabeça./ Será o amanhã ou só o fim/ Dos tempos?"

É sobre um cara que não sabe para onde está indo. Uma garota mexeu com esse cara e ele não sabe se isso é bom ou ruim – isso é tudo. Poderia ser sobre ir a lugares estranhos e diferentes, como a maioria das pessoas curiosas faz. Não tem nada a ver com drogas. A chave do sentido está no verso "*that girl put a spell on me*". É a partir daí que a música se desenvolve.

A noite passada foi mesmo divertida.
Conheci uma garota e ela é incrível.
Eu disse, menina, o que você está fazendo?
Ela disse, bem, você sabe, tudo bem. E você?
Eu disse, olha, tudo na mesma, a maior chateação.
Fiquei curioso, o que você tem nesse saquinho aí?
Ela disse, esse?
Então ela abriu o saco, e aí... [microfonia].

Eu disse UAU! Fecha isso! Fecha isso! Cuidado, menina!
Ela meteu o polegarzinho no saco. Aí eu também enfiei os dedos e Puufff!!!
Um nevoeiro púrpura!

[Lançada em março de 1967, "Purple Haze" chegou às paradas britânicas em seis dias e alcançou a terceira posição.]

Eu jamais diria que minha música é psicodélica. Há dez anos, já tinha gente nos Estados Unidos tocando isso que hoje em dia chamam de psicodélico. Vemos esses caras dizendo "Olha só essa banda, estão tocando música psicodélica", quando na verdade tudo o que estão fazendo é tocar "Johnny B. Goode" com os acordes errados e sob raios de luz.

Aqueles que se chamam de psicodélicos são tão ruins. Eu detestaria entrar numa viagem e ouvir todo aquele barulho. Freak-out, psicodelia, tudo isso é muito limitado. Não quero que ninguém cole uma etiqueta de psicodélico no meu pescoço. Prefiro Bach ou Beethoven. Não me entenda mal, adoro Bach e Beethoven. Tenho muitos discos deles, e de Gustav Mahler também.

De maneira geral, acho que é um erro tentar separar diferentes tipos de música em pequenas categorias. Na verdade, não precisa existir um nome específico para cada tipo de música. O nome da banda já é o bastante, não é? Você pode escutar uma coisa ou outra e dizer "Ei, isso é bom", mas nossa música é como aquele baleiro ali. Tudo misturado. É uma mistura de rock, blues e jazz, uma música que ainda está se desenvolvendo, que só está chegando agora, uma música do futuro. Se o rótulo for obrigatório, queria que a chamassem de "Free Feeling". É uma mistura de rock, freak-out, blues e rave music. Meu som rock-blues-funky-freaky.

Fui influenciado por tudo ao mesmo tempo – Muddy Waters, Jimmy Reed, Chet Atkins, B.B. King. Eu curtia Howlin' Wolf e Elmore James, mas me interessava por outras coisas também – Ritchie Valens, Eddie Cochran e "Summertime Blues". E também seria possível dizer que fui influenciado por Bob Dylan e Brian Jones. Eu escuto de tudo, de Bach aos Beatles. Veja, misturando essas coisas todas e ouvindo tudo ao mesmo tempo, para que lado você vai?

Eu gostava deles por eles mesmos, não pelo que poderia extrair deles ou querendo ser como eles. Não estou copiando o que já ouvi. É como um bebê acostumado com sua chupetinha, até que cresce e não pensa mais nela. Você precisa curtir tudo para depois ter suas próprias ideias. Ouvir de mais e fazer de menos pode deixar você meio maluco.

Dos caras que eu escuto hoje, muitos são britânicos. É quase como estar nos Estados Unidos! Não acredito que eles possam soar exatamente como os americanos, mas uns poucos conseguem. Stevie Winwood e

Spencer Davis são os que mais se aproximam desse sentimento. E Tom Jones! Por quê? Acho que eles estão cansados de ouvir todos aqueles discos de Herman's Hermit. Se eles podem mesmo curtir um cara como Ray Charles, que, quando se fala de soul, é um dos maiorais de todos os tempos, não é tão surpreendente que tenham mesmo esse sentimento cheio de soul. Isso mostra que sabem escutar.

Você é de Sagitário?
Constantemente. Do dia 27.

Traços pessoais?
1,80 metro; 68 quilos; olhos castanho-escuros – às vezes negros; cabelo castanho-escuro.

Origem do nome artístico?
88% da minha certidão de nascimento, 12% de erros de grafia.

Algum animal de estimação?
Minhas duas guitarras com espírito de bicho.

Comida e bebida favoritas?
Espaguete, torta de morango com chantilly e torta cremosa de banana. Gosto também dos pratos típicos dos negros do Sul – verduras e arroz.

E a culinária inglesa?
Meu Deus! Cara. Olha, a comida inglesa é difícil de explicar. Os ingleses servem quase tudo com purê de batata, e eu não tenho nada de bom a dizer sobre isso!

O que você pensa de Londres?
A atmosfera aqui é de outro tipo. As pessoas são mais educadas. Gosto de todas as ruazinhas e butiques. Parece uma terra encantada. Mas sabe o que mais me atrai em Londres? Ficar só olhando as garotas passarem. É

uma cidade fantástica para os observadores de garotas. Elas são todas tão bonitas e de tantas nacionalidades diferentes.

Você fuma?

Se não fumasse, seria gordo como um porco. Meus nervos são muito ruins. Normalmente, prefiro cigarros com filtro, que vou alternando com mentolados – um maço dura mais ou menos um dia e meio.

Você tem algum hobby?

Gosto de observar raios. Especialmente os que caem no campo e sobre as flores, quando estou sozinho. Leio muita ficção científica. E adoro ler contos de fadas, como Hans Christian Andersen e *O ursinho Pooh*.

Do que você não gosta?

Não gosto de coisas banais nem de gente arrumadinha demais, com sobrancelhas muito bem-feitas.

Que tipo de pessoa é você?

Sou meio quieto, meio fechado. Na maior parte do tempo, não falo muito. O que tenho a dizer, digo com a guitarra.

Planos imediatos?

Quero ficar na Inglaterra. Nos Estados Unidos eu sempre tocava atrás dos outros, e tenho dificuldade para me conter. É muito melhor agora que tenho meu próprio grupo. Acho que não vai ser difícil conseguir um visto de trabalho e tudo o mais desde que eu seja um bom menino.

Qual a importância da sua música para você?

Para nós é muito importante. Se pararmos de tocar não vamos ter dinheiro para comprar comida.

Ambição profissional?

Quero ser o primeiro homem a escrever sobre a cena blues de Vênus.

Ambição pessoal?
Ver minha mãe e minha família de novo.

Há quanto tempo está fora de casa?
Uns sete anos. Eu nem conheci minha irmã de seis anos. Só liguei para meu pai uma vez, quando cheguei à Inglaterra, para que ele soubesse que conquistei alguma coisa.

O que ele disse?
Ele me perguntou quem eu tinha roubado para conseguir o dinheiro para viajar. Na verdade, tenho medo de voltar para casa. Meu pai é um homem muito rígido. Ele iria me agarrar na mesma hora, arrancar minhas roupas e cortar meu cabelo! Queria ter dinheiro suficiente para mandar para casa, para meu pai. Ainda vou construir uma casa para ele. Só de implicância mesmo, e porque foi ele quem comprou minha primeira guitarra.

Por que você usa esse cabelo?
Acho que é porque quando eu era pequeno meu pai estava sempre cortando meu cabelo e eu ia para a escola parecendo uma galinha depenada. Talvez isso tenha criado um complexo em mim.

Você usa pente?
Não, uso uma escova. Um pente ficaria preso. Uma garota me perguntou se podia pentear meu cabelo. NINGUÉM penteia meu cabelo. Nem eu posso pentear meu cabelo. Mas acho esse cabelo incrível. Uma Shirley Temple estilo mod. Um permanente crespo. De qualquer maneira, é melhor do que ter um cabelo liso e sem graça. Veja, os cachos são vibrações. Se o seu cabelo for liso e apontando para o chão, você não tem muitas vibrações. Mas, desse jeito, tenho vibrações se projetando para todos os lados.

Qual a necessidade de se vestir de maneira tão peculiar?
Bem, na verdade não acho que isso seja mesmo necessário. É assim que eu gosto de me vestir, é a aparência que eu quero ter no palco e fora dele.

Gosto de tons de cor conflitantes. Sempre quis ser um caubói, ou Hadji Baba, ou o Prisioneiro de Zenda. Antes de eu entrar no palco, meu produtor me diz: "Jimi, seu desleixado, você não vai entrar no palco desse jeito hoje, vai?" E eu digo: "Assim que eu terminar meu cigarro… estarei vestido e pronto." Eu me sinto confortável assim.

Para onde está indo a moda?
Não sei, e não dou a mínima, se você quer saber. Pode ser que as pessoas se vistam com lençóis de várias cores, como nos tempos antigos. E não me faça essas perguntas idiotas sobre se uso cueca ou não. Acho que vocês deviam ter arranjado outra pessoa para fazer esta entrevista.

As pessoas me perguntam se esse cabelo e essas roupas são só para chamar atenção, mas isso não é verdade. Eu sou assim mesmo. Não gosto de ser mal interpretado por nada nem por ninguém, então, se quero usar uma bandana vermelha e calças turquesa e se quero deixar o cabelo crescer até os tornozelos, é assim que eu sou. Todas essas fotos que vocês têm visto, em que estou de smoking e gravata-borboleta, tocando na banda de apoio de Wilson Pickett, são de quando eu tinha medo e vergonha de ser eu mesmo. Meu cabelo e minha mente estavam domados.

A jaqueta que estou usando agora é do Corpo de Veterinários do Exército Real. É de 1898, se não me engano. Um ano muito bom para uniformes. Uma noite dessas, eu estava a um quarteirão do Cromwellian Club, usando essa roupa. E chegou uma viatura com uma luz azul, e uns cinco ou seis policiais pularam na minha direção. Eles me encararam bem de pertinho, com ar sério. Então, um deles aponta para minha jaqueta e diz: "Isso é britânico, não é?" E eu respondi: "É, acho que sim." Foi aí que eles fecharam a cara e disseram: "Não era para você vestir isso. Homens lutaram e morreram nesse uniforme." Tinham a vista tão ruim que não conseguiam ler as letras pequenas dos distintivos.

Então eu disse: "É, no Corpo de Veterinários? Acontece que eu gosto de uniformes. Usei um por bastante tempo no exército dos Estados Unidos." Eles disseram: "Como? Está querendo dar uma de esperto? Mostre seu passaporte." Eu mostrei. Tive que convencê-los de que meu sotaque era americano de verdade. Então me perguntaram em que grupo eu tocava e respondi que era o Experience. Eles riram do nome e fizeram umas piadas racistas. Depois de mais algumas gracinhas e de terem se divertido bastante, disseram que não queriam me ver de novo com aquela roupa e me deixaram ir. Quando eu estava indo embora, um deles disse: "Ei, você disse que é do Experience. O que você está experimentando?" Eu disse "Um ABUSO", e me mandei o mais rápido que podia.

As pessoas têm ideias estranhas sobre a gente, mas eu não ligo para o que pensam de nós. E vamos seguindo em frente, porque nessa vida você tem que fazer o que está a fim de fazer. Tem que deixar a mente e a imaginação correrem soltas.

White collared conservative flashing
Down the street,
Pointing their plastic finger at me.
They're hoping soon my kind will drop and die
But I'm gonna wave my freak flag high, high.
Wow! Wave on, wave on.

Fall mountains, just don't fall on me.
Go ahead on Mr. Businessman, you can't dress like me.*

---

* De "If Six Was Nine": "Caretas engravatados vêm/ Descendo a rua,/ Apontando para mim seus dedos de plástico. / Eles esperam que meu menino caia logo morto/ Mas eu vou erguer lá no alto a bandeira da doideira./ Uau! Erga a bandeira, erga a bandeira.// Que caiam as montanhas, só não caiam em cima de mim. / Siga em frente, senhor homem de negócios, você não pode se vestir como eu."

Sabe qual é o meu maior problema? Eu simplesmente não consigo olhar para uma câmera e sorrir quando não estou a fim. Não consigo mesmo. É como ficar feliz só porque alguém mandou! Seja como for, os fotógrafos sempre tentam me deixar com cara de mau. Para começo de conversa, de todas as fotos que tirei para publicidade, só foram escolhidas aquelas em que eu aparecia bem carrancudo. Jogamos fora todos os sorrisos e selecionamos os horrores. Isso fez de mim uma espécie de monstro. Sinceramente, não sei por que as pessoas gostam de me ver como uma figura de horror. Elas adorariam que eu parecesse uma espécie de canibal! O que eu acho é que era preciso começar com esse lance visual antes para depois fazer com que as pessoas quisessem me escutar.

[No final de março de 1967, o Hendrix Experience já havia feito mais de oitenta apresentações no Reino Unido, na França e na Holanda. Para os tabloides britânicos, Hendrix era o "Selvagem do Pop".]

Algumas pessoas perguntam que diabos sou eu. Será que estamos sendo invadidos? Mas os comentários não me incomodam. Antes, eu escutava o que essa gente dizia, ia embora e ficava deitado na cama sofrendo. Mas não dá para se preocupar com isso. São só pessoas convencionais querendo que o mundo todo seja convencional com elas. Resolvemos ser uma viagem, é por isso que somos assim. Queremos realmente tirar essa gente do sério quando tocamos.

Tocamos muito, muito alto. Fazemos isso para criar um certo efeito, para que tudo seja o mais físico possível, para atingir as pessoas em cheio. Tem que machucar. Estávamos na Holanda fazendo um programa de TV e os equipamentos eram os melhores. Disseram que podíamos tocar bem alto, e estávamos nos divertindo quando essa bichinha entra correndo e grita: "Para! Para! O teto do estúdio de baixo está caindo!" E estava mesmo, até o forro de gesso! Gosto de tocar alto. Sempre gostei de tocar alto.

Sou acusado de exagerar na eletricidade, mas acontece que eu gosto de sons elétricos, de microfonia e tudo o mais. Estática. As pessoas fazem barulho quando batem palma e nós respondemos com mais barulho. No sentido musical, "freak-out" é quase como tocar notas erradas. É tocar as notas ao contrário do que você acha que as notas deveriam ser. Se você souber como fazer, com o nível certo de microfonia, o resultado é bem interessante. É como tocar as notas erradas, mas a sério, saca? É muito divertido.

Nunca usamos artifícios gratuitos. O que acontece no palco faz parte do que eu faço. Quer dizer, meus movimentos servem para extrair tudo o que minha guitarra pode dar. Às vezes eu salto em cima dela, outras vezes arranho os trastes com as cordas. Quanto mais eu maltrato as cordas, mais a guitarra geme. Às vezes eu esfrego a guitarra no amplificador, sento em cima dela, toco com os dentes, ou então estou tocando normalmente e me dá vontade de tocar com o cotovelo. Nem me lembro de todas as coisas que faço. É só o meu jeito de tocar. Eu morreria de tédio se não desse tudo de mim.

A coisa que eu mais odeio é fazer playback. É tão falso. Pediram que eu fizesse isso quando me apresentei na Radio London e me senti culpado de ficar lá no palco segurando a guitarra. Não consigo sentir a música assim. Não dá para achar que eu vou tocar com os dentes quando tem uma gravação tocando no fundo. É loucura.

Para tocar com os dentes, você tem que saber o que está fazendo ou pode acabar se machucando. Em todo lugar que eu vou ouço falar de um grupo que quis nos imitar, sobre um camarada que tentou tocar guitarra com os dentes e que acabou com os dentes todos espalhados pelo palco. "É isso que acontece quando você não escova os dentes", digo a eles. Nunca quebrei nada tocando, mas já pensei – para fazer um efeito, é claro – em botar uns pedacinhos de papel na boca antes do show e depois cuspi-los como se todos os meus dentes estivessem caindo!

Muita gente acha vulgar o que eu faço com a guitarra. Não acho que seja vulgar. É sexy, talvez, mas acho que isso vale para qualquer música com uma boa batida. A música é uma forma de expressão tão pessoal que não poderia deixar de exprimir o sexo. Qual o problema disso? É tão vergonhoso assim? É mais vergonhoso do que esses anúncios eróticos que a gente vê nos jornais e na televisão? O mundo gira em torno do sexo. A música deve estar conectada às emoções humanas. Duvido que você encontre algo mais humano do que o sexo. Aqueles que nos acham sujos são os mesmos que não querem deixar Joan Baez cantar suas canções contra a guerra em público.

Eu toco e me movimento seguindo meus sentimentos. Não se trata de um ato teatral, mas de uma maneira de ser. Minha música, meu instrumento, meu som, meu corpo agem em unidade com minha mente. É como se eu entrasse num barato de conexão entre mim e a música. A música, na verdade, é como um barato rápido e prolongado. Aquilo que para algumas pessoas da plateia pode ser sexo ou amor, para mim é só uma viagem que me deixa chapado. Se alguém acha que nosso show é sexy, ótimo. Se nosso show passa outras sensações, ótimo também. Se a música servir para que eles se sintam livres e façam o que pensam ser melhor para si mesmos, isso já é um avanço.

Só não quero que ninguém fique passivo.

[Em 31 de março de 1967, o Jimi Hendrix Experience entra em turnê com os Walker Brothers.]

Na primeira noite da turnê com os Walker Brothers eu comecei a me preocupar. No mundo especializado do blues eu sabia me situar, mas agora estava diante de um público que tinha ido lá para ver os Walker Brothers, Engelbert Humperdinck e Cat Stevens. Estávamos abrindo os shows de todos os queridinhos do público, então precisávamos levantar a plateia. Tínhamos que sacudi-los com toda a força.

Os que vieram ouvir Engelbert cantar "Release Me" podem não curtir meu som, mas isso não é nenhuma tragédia. Numa situação desse tipo, não dá para fazer muita coisa. O jeito é tocar para nós mesmos. Já fizemos isso antes, com plateias que ficam paradas de boca aberta e demoram dez minutos para começar a aplaudir.

Não estou tentando agradar as menininhas nem os velhos. Só quero ser honesto, ser eu mesmo. Não imagino que as mesmas pessoas que compram os discos do Engelbert também estejam comprando os meus, a não ser que sejam maníacos por música que compram tudo que está na parada de sucessos. Teve uma noite em que me sentei e escutei o Engelbert. A voz dele é muito boa mesmo. É perfeita. Quem não tem muita imaginação talvez precise ser bonito e ter uma voz perfeita.

CARTA A UM FÃ, ABRIL DE 1967:

> Caro David,
> Fique numa boa. Lamentamos dizer que, no momento, não temos mais nenhuma foto nossa. Uns caras roubaram todo o estoque do ônibus da turnê. Mas todos nós (os três) ficamos felizes com sua carta, que veio num momento tão crucial (Walkers, Hump, Cat, tudo contra nós).
> Obrigado mais uma vez e tudo de bom.
> Do Jimi Hendrix Experience

OS CHEFES DA TURNÊ ESTÃO transformando nossa vida num inferno. Não sei se é assim em todas as turnês, mas eles não nos deixam nem afinar os instrumentos antes de entrarmos no palco. E quando o show está para começar, descubro que a guitarra que acabei de afinar está completamente desafinada ou com uma corda partida. Nem sei o que dizer sobre isso. Eles simplesmente estão pouco se lixando para a gente.

Eles dizem que somos obscenos e vulgares. Nós nos recusamos a mudar nossa postura, e o resultado é que meu amplificador às vezes é cortado nos momentos mais divertidos.

A cada noite sou ameaçado pelo produtor, mas ele não vai me fazer parar. Sempre me apresentei assim desde que cheguei à Inglaterra. Não há absolutamente nada de vulgar nisso. Não consigo imaginar de onde essa gente tira essas ideias. Mas eles não vão se livrar da gente a não ser que sejamos oficialmente desligados da turnê.

Algumas coisas nós fazemos por publicidade, é claro. Quer dizer, aquela história da guitarra em chamas foi toda armada. Nós jogamos um monte de gasolina e acendemos um isqueiro. Os seguranças ficaram malucos, mas saímos em todos os jornais! Lembro do produtor, que estava por dentro da armação, gritando comigo e sacudindo o punho, aos berros: "Você não pode fazer essas coisas, Hendrix! Vou tirar você da turnê!" Enquanto isso, ele estava escondendo as provas contra mim debaixo do casaco – minha guitarra queimada que toda a polícia e os bombeiros estavam procurando.

A EXPERIÊNCIA DA TURNÊ foi boa, mas a programação dos shows estava errada. Era eu quem incendiava o palco para os que vinham depois. O tal Engelflumplefuff não tinha nenhuma presença de palco. Ele não empolgava. Ninguém se movia, viravam pedra. Mas conseguimos nos divertir, apesar de todos os aborrecimentos.

Aprendi muito sobre as plateias britânicas, afinal nos apresentávamos duas vezes por noite. Depois de cada show, Chas e eu conversávamos sobre como tudo tinha corrido e o que poderíamos melhorar. No teatro de Luton, um cara deu um salto de uns seis metros de cima de uma caixa para o palco só para apertar a mão da gente. Saíamos pelos fundos do palco, onde estavam as tietes, e pensávamos, "Ah, elas não vão ligar para a gente", mas acabávamos todos rasgados! Uma das meninas agarrou minha guitarra, dizendo: "É minha." Eu respondi: "Você só pode estar louca!" Leicester era outro lugar em que fazíamos sucesso.

Fico envergonhado ao ouvir os elogios de um apresentador antes de entrar no palco, ou quando vejo meu nome no letreiro luminoso de um teatro. Não consigo acreditar que isso está acontecendo comigo. Às vezes a plateia grita "Hurra" tão alto que eu me apavoro. Tenho vontade de dizer: "Mais baixo!" Mas na verdade eu gosto. Dá até vontade de chorar.

Nós três tivemos meio que um pressentimento de que estávamos no caminho do sucesso, pelo menos na Inglaterra. É estranho, porque muita gente nem sabe quem é cada um de nós. Quando damos uma entrevista coletiva, somos três pontos de interrogação e temos que explicar quem é quem. Acho que daí já se vê que nosso sucesso foi conquistado tocando.

[Em maio de 1967, seis dias após ser lançada, "The Wind Cries Mary" chegou às paradas britânicas. Ficou entre as mais tocadas por onze semanas e alcançou a sexta posição.]

Não entendo como isso aconteceu tão de repente, mas nossos discos começaram a vender loucamente. "Purple Haze" está até agora nas paradas. Nunca imaginamos que chegaria a tanto. Talvez tivesse sido melhor deixar a poeira baixar antes de lançar "The Wind Cries Mary". Mas na Inglaterra você tem que estar lançando um disco novo o tempo todo. Eles têm a cabeça muito rápida e logo se cansam das coisas. Os ingleses às vezes conseguem ser muito bizarros, e isso me empolga.

Ninguém pode me culpar por ser egoísta e querer que nossas músicas cheguem ao público o mais rápido possível. Não gosto nada de ficar para trás. Quem se interessa, quem se envolve de verdade com a música tem essa fome imensa. Quanto mais a gente contribui, mais a gente quer fazer. Isso deixa você mais faminto ainda, mesmo comendo várias vezes por dia.

Eu simplesmente guardo música dentro da cabeça. Os outros só vão escutar quando entramos no estúdio. Foi assim com "The Wind Cries Mary". Estávamos ensaiando no palco quando a ideia me ocorreu. A letra veio primeiro e depois foi só encaixar a melodia. A coisa toda se desenrolou sem dificuldade. Nós gravamos em uns dois takes.

Expliquei minha ideia a Noel e Mitch e tocamos até a metade para que Chas fizesse os ajustes no estúdio. Em seguida, tocamos a música inteira uma única vez. Seis minutos depois o material estava pronto para ser mixado e prensado. Nunca gravamos mais de cinco ou seis takes num estúdio. É muito caro!

Quando estamos trabalhando num disco conversamos sobre muita coisa, mas nunca sobre a música que vamos gravar. Contamos piadas, bebemos e fumamos. Temos que entrar no clima antes de começar. Não é nada fácil. Prefiro tocar diante de uma plateia. Para me orientar preciso sentir a reação do público. É assim que eu entro no clima. No estúdio você não tem isso.

Eu me vejo mais como músico do que como compositor. Só componho minhas próprias canções para não ter que tocar as dos outros. Chas às vezes me dá uma mãozinha com as letras. Ele muda algumas palavras para que a música soe melhor. Não me considero um compositor, mas adoraria ser reconhecido como tal.

Desde que Bob Dylan apareceu implicam com ele, dizendo: "Esse cara canta que nem um cachorro de pata quebrada!" Mas quem diz isso não entende as palavras dele. Para entender de verdade seria bom comprar um livro com as letras para saber o que ele está dizendo. Todo mundo quer saber o que aconteceu com a poesia nos dias de hoje. Bem, ela está por aí em todo lugar. É só escutar os discos.

Dylan me inspira. Não que eu queira soar como ele – eu só quero soar como Jimi Hendrix –, mas, para ter um som pessoal, você tem que compor suas próprias músicas. Já fiz umas cem músicas, mas a maioria ficou pelos quartos de hotel de Nova York de onde fui expulso. Escrevo um monte de letras em caixas de fósforos, guardanapos, em qualquer lugar. Às vezes a música vem quando estou sentado de bobeira e me lembro de algo que já escrevi. Então, se eu conseguir achar o que já está escrito, eu aproveito.

As músicas podem vir de qualquer lugar. Das coisas que você vê, das experiências que você tem na vida. Mesmo quem vive fechado num quartinho vê muita coisa, e, com um pouco de imaginação, as músicas vêm. Passo muito tempo sonhando acordado. Adoro ficar quieto e deixar a imaginação correr solta. Aparece todo tipo de pensamento interessante, e músicas também. Preciso esperar que elas venham até mim, mesmo que tenha uma gravação marcada para daqui a minutos. Eu não poderia simplesmente continuar fazendo as coisas por dinheiro para sempre. Só quero despertar as pessoas para que elas saibam o que está acontecendo. É para isso que estou aqui.

A ÚNICA MANEIRA que eu tenho de me expressar por completo é através da música. A maioria das músicas, como "Purple Haze" e "The Wind Cries Mary", tinha umas dez páginas, mas tive que cortar todas elas. Pode ser que, no corte, o sentido tenha se perdido um pouco, o que é uma droga. O problema é que um single não pode passar de seis minutos. Antes eram três, o que é pior ainda. É como se antes só pudéssemos dar aos leitores uma página do livro. Agora já podemos dar três ou quatro, mas nunca o livro inteiro.

"The Wind Cries Mary" é sobre uma garota que tinha uma certa inclinação para falar de mim com as amigas. Uma hora ela dizia que eu era um cachorro, e no minuto seguinte falava o oposto absoluto. Mas no fundo ela era uma garota legal. É só uma história de fim de namoro, de dois namorados que se separam. Como os sinais de trânsito que amanhã ficam azuis. Isso significa apenas ter uma sensação ruim por dentro. Não tem nenhum significado oculto. É só uma música lenta, é assim que eu vejo.

Lenta, tranquila.

After all the jacks are in their boxes
And the clowns have all gone to bed,
You can hear happiness
Staggering on down the street,
Footprints dressed in red.
And the wind whispers Mary.

A broom is drearily sweeping
Up the broken pieces of yesterday's life.
Somewhere a queen is weeping,
Somewhere a king has no wife.
And the wind it cries Mary.

The traffic lights they turn blue tomorrow
And shine their emptiness down on my bed,
The tiny island sags downstream
'Cause the life they lived is dead.
And the wind screams Mary.

Will the wind ever remember
The names it has blown in the past,
And with its crutch, its old age and its wisdom
It whispers, "No, this will be the last."
And the wind cries Mary.*

---

* De "The Wind Cries Mary": "Quando todos os bonecos estão nas caixas/ E os palhaços já foram pra cama,/ Dá pra ouvir a felicidade/ Cambaleando pela rua,/ As pegadas vestidas de vermelho./ E o vento sussurra Mary.// Uma vassoura melancólica varre/ Os cacos da vida de ontem,/ Em algum lugar uma rainha chora,/ Em algum lugar um rei não tem esposa./ E o vento grita Mary.// Os sinais de trânsito amanhã ficam azuis/ Iluminando de vazio a minha cama,/ A ilhazinha vai levada pelas águas/ É a vida que viveram que está morta./ E o vento berra Mary.// Será que o vento ainda

Na música você tem que falar logo a verdade, sem enrolação. A ideia é ser bem básico. Minhas letras não precisam ser brilhantes. Eu só falo o que estou sentindo. Quem quiser, quem achar interessante, fique à vontade para discutir o que eu quis dizer. O que eu quero é que a música e as palavras sejam ouvidas como uma coisa só. Às vezes, uma letra tem só cinco palavras, a música diz o resto. No lugar da frase "Quer fazer amor comigo esta noite?", o que se ouve é um estrondo repentino. Dá para transformar um som num acontecimento.

Você pode pegar um barulhinho como o de uma gota caindo e aplicar uns efeitos, como inversão e eco, para dar ênfase a determinado ponto. Se a música briga com a letra ou se a letra destoa da música, alguma coisa está errada. O casamento entre as palavras e a melodia tem que ser perfeito.

[12 de maio de 1967, o Experience lança seu primeiro álbum no Reino Unido.]

Nosso primeiro álbum vai se chamar *Are You Experienced?*. Não tem nada de errado com isso!

Para começar, não quero ninguém achando que fizemos uma coletânea de músicas "freak-out". É um disco muito pessoal, como todos os nossos singles. Acho que o trabalho pode ser visto como um álbum de improviso, já que boa parte dele foi feita na hora.

É uma coleção de sensações livres e imaginação. Tem canções para meninas adolescentes, como "Can You See Me", e coisas mais no estilo blues. Só duas músicas podem dar um barato ruim para quem ouve chapado – "Are You Experienced?" e "May This Be Love". Mas são só canções de paz. Servem para relaxar, como se fossem sombras meditativas. Escutar essa música deve servir para deixar a mente serena.

---

se lembrará/ Dos nomes que soprou no passado,/ Com sua muleta, sua velhice e sua sabedoria/ Ele sussurra, 'Não, este será o último'/ E o vento grita Mary."

If you can just get your mind together,
Then come on across to me,
We'll hold hands and then we'll watch the sun rise
From the bottom of the sea...
But first, are you experienced?
Have you ever been experienced?
Well, I have.*

A chave das minhas letras é a imaginação, e o resto é uma pincelada de ficção científica. Gosto de escrever histórias míticas, como a das guerras em Netuno e a da origem dos anéis de Saturno. Cada um pode escrever sua própria mitologia.

"Third Stone from the Sun", a terceira pedra a partir do Sol, é a Terra. É isso. Temos Mercúrio, Vênus e depois a Terra. Esses caras vêm de outro planeta, passam um tempo observando a Terra, acham que as criaturas mais inteligentes daqui são as galinhas e que não temos mais nada a oferecer. Eles não veem nada que valha a pena conquistar nem gostam muito dos terráqueos. No final, explodem tudo.

"I Don't Live Today" é dedicada aos índios americanos e a todas as minorias reprimidas. É uma música "freak-out". É melhor eu mesmo dizer isso porque é o que todos vão acabar falando de qualquer maneira. Quer saber o que isso significa? Eu explico, mas não vá pensar nenhuma besteira. "Freak-out" era uma antiga gíria californiana que significava transar no banco traseiro de um carro. O sentido é esse, perversão sexual. Bem, era isso que a expressão queria dizer. Estou apenas sendo franco e acho que vou acabar sendo deportado por causa disso.

---

* De "Are You Experienced?": "Se você conseguir equilibrar a mente,/ Então venha até aqui,/ Vamos dar as mãos para ver o sol nascer/ Do fundo do mar.../ Mas antes, você tem experiência?/ Você já viveu uma experiência?/ Bem, eu já."

"Manic Depression" fala de tempos ruins. Tão ruins que dá para sentir fisicamente. É a história de um cara que sonha em fazer amor com a música em vez de com a mesma velha mulher de todos os dias. Uma música sobre frustração, um blues dos dias de hoje.

A natureza da música inglesa pede quilos e mais quilos de melodia. As canções folclóricas irlandesas precisam de melodias complicadas. Sou da América. O blues está no meu sangue e não precisa de tanta melodia. É mais uma questão de ritmo, de sentimento, mais pé no chão. Se quiser, pode chamar isso de soul. Todo mundo quer saber o que é o soul americano. Acham que é a Motown. Eu acho que aquilo é o fim. O soul americano é algo como "Red House". É esse o tipo de R&B que pode chegar ao top 500. É, gosto dessa música. E temos mais coisas na mesma linha.

E temos também músicas como "Foxy Lady". Não tenho vergonha de dizer que não sei compor músicas alegres. Na hora de criar uma canção, eu não me sinto muito feliz. "Foxy Lady" deve ser a única música alegre que fiz. O microfone estava preparado, eu tinha essa letra e nós começamos a tocar. Repassamos o material algumas vezes e as ideias iam pipocando em nossas cabeças. Se você tem uma sacação legal, tem que anotar na hora.

Esse monte de sons que vocês estão ouvindo são todos feitos com uma guitarra, um baixo, bateria e vozes reproduzidas numa velocidade mais lenta. A microfonia vem de um amplificador comum e de um pedalzinho que eu montei. Não usamos nem mesmo um oscilador. Para muita gente, isso é de endoidar...

Quem mais trabalhou nisso foram Chas Chandler e Eddie Kramer. Eddie foi o engenheiro e Chas, como produtor, cuidava para que tudo estivesse em ordem. Não tenho certeza, mas acho que em alguns momentos esse material pode ser avançadíssimo. Fiquei satisfeito com o resultado, mas estou ansioso por coisas novas.

[*Are You Experienced?* permaneceu nas paradas britânicas por 33 semanas, chegando ao segundo lugar, atrás de *Sgt. Pepper's Lonely Hearts Club Band*, dos Beatles. Na segunda quinzena de maio, o Jimi Hendrix Experience tocou na Alemanha, na Dinamarca e na Suécia, quebrando recordes de público.]

Gosto da Suécia. O sucesso dos shows foi muito maior do que o esperado para uma primeira visita. Quando tocamos no Tivoli Gardens, o sistema de som era muito ruim e o público também não ajudava. Mas a outra apresentação que fizemos naquela mesma noite foi ótima. Os garotos são incríveis. Eles ficam quietos prestando atenção na minha música e parece que entendem.

A Suécia é o país mais bonito do mundo. Muita gente morreria de tédio naquele lugar, sobretudo os mais jovens, porque lá não tem nada para fazer. Mas é justamente isso o melhor que eles têm a oferecer, paz e tranquilidade. Para descansar, é fantástico. E as garotas são muito mais legais do que em qualquer outro lugar. Dá para conversar decentemente com elas, quer dizer, não que não dê para fazer isso com as garotas de outros países, mas é muito mais legal conversar com as suecas.

Nunca descobri tanta coisa quanto na Suécia. Ouvimos caras que tocavam em espeluncas e boates do interior tirando um som quase inimaginável. De tempos em tempos eles aparecem como uma onda. Conseguem tocar fundo na personalidade uns dos outros, até serem arrastados pelas forças "malignas" da ressaca da noite anterior. Dá para ouvir quando eles começam a sumir. Mas então eles se levantam de novo. Acho que é uma espécie de onda que vai e vem.

[No início de junho de 1967, o Experience tocou no Pop Festival do Palais de Sports, em Paris, e voltou a Londres para shows no Saville Theatre, entrevistas e sessões de fotos.]

Nós queremos ser controversos. Não somos "bons meninos" e nossa música não é "doce". Não acreditamos em ensaiar. Os ensaios só servem para coisas mais técnicas, como checar o som dos amplificadores. Não queremos planejar nossa música. Queremos que ela seja uma surpresa para o público e para nós mesmos. Além disso, ninguém mais aceita receber nossos ensaios. Dizem que tocamos alto demais!

No palco, eu sei exatamente o que estou fazendo. Não fico tentando comover o público. O que eles vão tirar da música é problema deles. Basta estar lá para sentir. Na verdade, dá para sentir antes de começar a tocar. E então, na primeira nota, a gente já sabe onde está pisando.

Quando o público ajuda, tudo funciona. Mas se eles ficam lá sentados fazendo cena, eu não quero nem saber. Afinal, não estou tentando passar nenhuma mensagem para ninguém.

Quando o público curte o seu som, é natural ficar empolgado, e isso ajuda. Mas uma plateia ruim também não me incomoda, porque é uma oportunidade para praticar, para azeitar as engrenagens. Se eles pagaram para nos ver, vamos fazer o que sempre fazemos. Se acrescentamos um pouco de entretenimento, de circo, isso é só um benefício extra. Mas estamos lá para fazer música. Tocar, para mim, é sempre um prazer e não me importa que vaiem – desde que as vaias sejam afinadas!

Hoje, o sentimento das pessoas por nós não tem nada de ambíguo. Ou gostam ou não gostam. Se alguém critica minha música – bem, depende de quem faz a crítica. Se eles não entendem, é porque estou dois anos à frente deles. Ou será que estou dois anos atrasado? Não dou a mínima, desde que tenha o suficiente para comer e para tocar o que quero. Isso me basta.

Penso que estamos entre os caras mais sortudos deste mundo, só tocamos o que queremos e parece que as pessoas gostam. Nunca pretendi fazer um som comercial. Eu nem sei como deve soar um disco de sucesso. Só quero continuar tocando e gravando o que me dá prazer. Jamais quero ter que me curvar ao comercialismo.

NÃO SE ESQUEÇA QUE Jimi Hendrix EUA nunca teve nenhuma chance, porque estava sempre tocando atrás de alguém. Foi então que a coisa aconteceu – graças a Chas e a Mike Jeffery. Foram eles que acreditaram que eu daria certo aqui. Quando me viu no Greenwich Village, Chas disse que isso tudo iria acontecer, e aconteceu.

A Inglaterra hoje é a nossa base. Não é a minha casa, mas é o nosso começo, nosso nascimento. Eles nos acolheram como bebês perdidos. Devemos ficar aqui até mais ou menos o final de junho. Depois, vamos ver se conseguimos alguma coisa nos Estados Unidos. Disseram que nos sairemos bem, mas não tenho certeza de que seremos aceitos lá com tanta facilidade. As cabeças de lá são bem mais fechadas do que na Inglaterra. Nos Estados Unidos, as rádios pararam de tocar "Hey Joe" porque tinha gente reclamando da letra. Se gostarem de nós, ótimo! Se não, pior para eles!

Cheguei aqui com a roupa do corpo. Estou voltando com o melhor guarda-roupas que Carnaby Street tem a oferecer. Noel e Mitch vão se dar muito bem nos EUA. Vão gostar tanto deles que não precisarão nem lavar as próprias meias.

CAPÍTULO QUATRO

(*Junho de 1967 – Agosto de 1967*)

BOLD AS LOVE

Não estou aqui para destruir nada.
Não se esqueça que ainda existem outras pessoas por aí
Fazendo um som doce e agradável.
Vocês ainda têm os Beach Boys
E os Four Seasons
Para curtir.

18 DE JUNHO DE 1967, MONTEREY, CALIFÓRNIA.

PAUL MCCARTNEY ERA o Beatle todo-poderoso, o cara bacana que conseguiu um espaço para nós no Monterey Pop Festival. Foi nosso primeiro passo nos EUA.

Monterey era acima de tudo um festival de música, feito do jeito que tem que ser. Tudo saiu perfeito. Eu disse: "Uau! Não falta nada aqui! O que eu vou fazer?"

Em outras palavras, eu estava quase entrando em pânico. Estava morrendo de medo de subir ao palco e tocar para aquela gente toda. Tudo o que eu queria era mexer com aquelas pessoas. É um sentimento de preocupação extrema, de grande intensidade. É assim que eu vejo. Para mim é natural. Basta tocar a primeira nota, terminar a primeira música, que fica tudo certo. Vamos sacudir essa gente!

A música me deixa chapado no palco. É sério. É quase como ser viciado em música. Sabe, no palco eu me esqueço de tudo, até da dor. Olha o meu dedão – está horrível. Quando estou tocando eu nem penso nessas coisas. Eu só fico lá fazendo meu som. É tudo uma questão de estufar o peito e soltar as pernas e os braços.

É uma outra forma de comunicação, de criar harmonia entre as pessoas. Quando eles estão sentindo e sorrindo com aquele olhar sonolento e exausto, é como ser arrastado por uma onda. Às vezes a gente chega num nível tão intenso que entra num outro barato. Você não esquece da plateia, mas se livra daquela paranoia de ficar perguntando: "Meu Deus, estou no palco... o que vou fazer agora?" Então você passa para essa outra dimensão, e, de certa maneira, é quase como estar numa peça. Tem horas que eu tenho que me segurar porque fico tão empolgado – não, empolgado não, envolvido.

Na Inglaterra, eu pensava nos Estados Unidos todos os dias. Sou americano. Queria que as pessoas daqui me vissem. E também queria saber se daríamos certo aqui. E nós conseguimos, cara, porque fizemos as coisas do nosso jeito, e não do jeito dos outros. Era o nosso som rock-blues-country-funky-freaky mexendo com as pessoas. Eu me senti despertando o mundo todo para essa coisa tão nova e maravilhosa. Então decidi destruir minha guitarra no final da música como um sacrifício. A gente sacrifica as coisas que ama.

Eu amo minha guitarra.

O FESTIVAL DE MONTEREY era lindo de se ver. Toda aquela gente bonita. Tiramos alguns dias de folga e então nos apresentamos no Fillmore West. Depois, tocamos de graça [Golden Gate Park, em San Francisco] e eu curti muito. Aqueles hippies são bárbaros. Todas as bandas tocando de graça, isso é que é trabalho em equipe. Uma das nossas melhores apresentações até hoje, e foram 10 mil discos vendidos!

Flower Power! É isso aí! O que virá depois do poder das flores? Acho que vai ser a velocidade da erva, e eu mal posso esperar pelo inverno com suas canções esfumaçadas e malucos pilotando trenós.

Mas é divertido. Curto qualquer coisa, desde que ninguém saia machucado e todo mundo se divirta. A paz e o amor não estão nos cabelos encaracolados, nas miçangas e nos balangandãs. Você precisa acreditar, não é só sair jogando flores por aí. O que importa é o sentimento, que até um sujeito engravatado pode ter.

Embora a cultura hippie estivesse muito presa às sensações provocadas pelas drogas, a ideia básica de "amar a todos" ajudou à beça com o problema racial nos Estados Unidos. No passado, os artistas negros nem chegavam perto de certo público sulista. Mas essa onda de paz e amor levou embora muito da violência. É claro que, de vez em quando, um monte desses malucos vai em cana, mas você nunca ouviu falar de hippies assaltando bancos na Califórnia, não é?

Adoro a Costa Oeste. É lá que eu queria morar. O clima é bom e tem muita gente boa. Gosto dos carros, cara, são lindos. Os Fuscas não são tantos, o que é bom. E, claro, eu já ia me esquecendo... as garotas. Elas até vão lá nos ver tocar. É lindo, é ridículo e tudo o mais, mas eu não faço ideia do que está acontecendo!

Nos divertimos muito em Los Angeles. Ficamos na casa do Peter Tork. Tinha uns mil quartos, mais uns tantos banheiros e duas sacadas com vista para o mundo todo e para Piccadilly Circus. O aparelho de som fazia a gente se sentir como se estivesse num estúdio de gravação, com um piano elétrico, guitarras e amplificadores. Na garagem, um Mercedes, um GTO e algo que parecia um fogão antigo de cobre. E um cachorrinho fofo e amarelinho.

Dave Crosby e um grupo chamado Electric Flag vieram nos ver no Whisky A Go Go. O Electric Flag é incrível. Um deles, o Buddy Miles, é um cara com quem eu gosto de conversar sobre música. Ultimamente, tenho me interessado por coisas diferentes, de Electric Flag a Jefferson Airplane. Eu curto o som do Jefferson Airplane, mas eles deviam privilegiar a música, não os efeitos de iluminação. Eles são tão talentosos, mas às vezes o show de luzes é tão bom que a banda acaba sendo responsável por apenas 25% do que acontece no palco. Eles ficam reduzidos a sombras, ficam sendo as vozes dos efeitos luminosos. Eu não gosto desse exagero nas minhas apresentações, mas algo diferente para ressaltar cada música não seria má ideia – velas no palco em "The Wind Cries Mary" ou um filme para "Purple Haze", por exemplo.

[Julho de 1967, primeira turnê nos EUA.]

E então saímos numa turnê com os Monkees. Eles são uma espécie de Beatles de plástico. Ninguém se compara aos Beatles, eles são simplesmente demais e dá vergonha ver os Estados Unidos tentando vender os Monkees. Eles são um produto comercial do show business americano. Meu Deus! Que coisa mais sem sal! Odeio ver gente assim fazendo tanto sucesso enquanto outras bandas americanas estão morrendo de fome em busca de uma oportunidade.

Não me entenda mal! Pessoalmente gosto dos Monkees. Nossa relação pessoal era ótima. Eles são muito legais. Eu me dava bem com Micky e Peter e nós fazíamos a maior farra juntos. Essa história de que viajávamos segregados no avião é uma baboseira.

Fizemos sete shows com eles e depois largamos a turnê por conta de um desentendimento. Para começar, nossa participação não era divulgada – todos os cartazes gritavam MONKEES! Ninguém sabia que estávamos lá até entrarmos no palco. E ficávamos sempre com o pior pedaço do show, imediatamente antes da entrada dos Monkees. A plateia ficava berrando para que eles entrassem logo.

Até que concordaram em nos deixar ser os primeiros. As coisas melhoraram muito. Ganhávamos gritos e reações positivas, alguns garotos até invadiam o palco. A garotada já estava até curtindo mais a gente do que os Beatles de plástico!

Foi então que alguns pais que haviam levado os filhos começaram a reclamar que nossa postura era vulgar. Eles diziam: "O que significa isso – é isso que os meninos curtem!? Não! Erótico demais!"

Essa coisa toda me deixa perplexo. Acho que talvez eu me mova de certas maneiras e as garotas da primeira fila fazem uma cara engraçada, mas não é exatamente sexy. Acho que tem algo a ver com a ideia de ter alguém se exibindo em cima de um palco, alguém que as pessoas querem tocar mas sabem que não podem. É uma sensação ao mesmo tempo agradável e frustrante. Essa é provavelmente a única oportunidade que essa garotada tem de gritar, então eles põem TUDO para fora.

Na verdade, nós nunca havíamos tocado para esse tipo de público juvenil, e você tem que entender que se na Inglaterra os pais dos meninos não interferem muito, com os pais americanos o papo é outro. E aqui tem um monte de organizações caretíssimas, não é? Em Nova York as Filhas da Revolução Americana tentaram impedir nosso show dizendo que éramos sexy demais. Imagina como essas velhotas devem ter ficado excitadas. Ficaram tão alvoroçadas que foram tentar nos impedir de fazer nosso trabalho. Então, é nesse pé que as coisas estão agora!

Decidimos que aquele era o público errado. Acho que fui trocado pelo Mickey Mouse.

OS ESTADOS UNIDOS SÃO como qualquer outro país. Só leva um pouco mais de tempo. Tocamos em vários lugares pequenos, como o circuito de boates de Nova York, o Central Park, Washington D.C., Ann Arbor, Michigan e o Hollywood Bowl. Às vezes nem sabíamos mais onde estávamos.

Nos levaram para dar umas voltas com o Mamas and the Papas. Em Nova York fomos todos ao Electric Circus, no Village. Aquilo abriu a minha mente. Quem estava tocando lá era um grupo chamado Seeds, mas entre uma música e outra aconteciam várias performances rápidas. Um cara subiu ao palco e ficou lá rosnando por uns cinco minutos. Depois, disse "Obrigado" e saiu de cena! Teve outro que chegou vestindo uma camisa de força e ficou só rolando pelo chão por mais ou menos meia hora.

E então uns carinhas engraçados desceram por umas cordas que saíam do teto. Não dava para acreditar! Os Village Fugs são muito doidos. Eles trabalham em cima dos textos de William Burroughs, músicas sobre lésbicas e coisas como surtar com um barril de tomates, amassando todos no sovaco. *Eeeeca!* Não dá para acreditar, cara, esses sujeitos são muito indecentes. Eles recitam poemas lindos, cheios de safadeza, os mais safados que você pode imaginar.

Esse período que passei nos Estados Unidos foi incrível. Só não gostei de ser parado pela polícia em Washington D.C. e de ser barrado em um ou dois restaurantes, mas isso foi porque eu estava acompanhado de uns hippies. Um deles parecia até o Touro Sentado. A questão não era racial.

Os taxistas de Nova York chegam perto de mim, olham para a minha cara e dão no pé. Essa gente às vezes quer que todo mundo seja careta que nem eles. Bom, assim eles não vão me pegar. *Por que eu deveria ser igual a um motorista de táxi?*

Para os americanos, eu era um completo desconhecido, até que chegou a notícia de que os ingleses curtiam minha música. Agora, aqui é tudo um grande negócio. Nas boates do Greenwich Village fomos tratados como deuses. Quem está sempre fazendo uma música mais experimental nunca vai ganhar muita grana, mas é respeitado nos lugares certos.

Não estou fazendo nada de muito diferente, mas de repente revistas como a *Life* e a *Time* começaram a escrever sobre mim. É uma sensação engraçada. São as mesmas pessoas que riam de mim. Ha, ha! Agora eu não sou mais o idiota do Jimi, sou o sr. Hendrix. Ficam tentando me analisar e arranjam até um laudo com um psiquiatra, mas aquilo lá não tem nada a ver comigo. Eles não sabem o que corre no meu sangue. Vivemos em mundos diferentes. O meu mundo? É a fome. São as favelas, a violência do ódio racial. Um lugar onde a única felicidade é aquela que você pode segurar nas suas mãos.

Os críticos são mesmo um saco. É como atirar num disco voador que está tentando pousar sem nem dar a seus tripulantes a chance de se identificar! Sempre tem alguém querendo me definir. Eles aparecem no camarim pensando: "Vamos arrancar a roupa dele e enforcá-lo no alto de uma árvore." A maioria sai tão atordoada que nem sabe mais sobre o que está escrevendo.

Já estão nos classificando com base num único álbum e talvez em um ou dois shows que ouviram. Não é fácil nos rotular, mas quem disse que eles não tentam? Já me chamaram até de "Elvis negro". É o jogo do establishment. Dão tapinhas nas nossas costas querendo se livrar logo da gente. Querem espremer nossa alma e nos prender numa jaula para o resto da vida. Mas nós não entramos nessa! Não ligamos para esses rótulos. Quando você começa a duvidar de si mesmo, já está nas mãos deles.

Quando veem alguma coisa diferente, como o Experience, muitos desses rotuladores ficam com medo. Eles querem que você caiba num pacotinho. Quando não conseguem nos empacotar, entram em pânico e não sabem mais o que fazer. Naturalmente, começam a inventar histórias sobre as pessoas que não entendem, por exemplo: "Jimi Hendrix tem um péssimo humor, está sempre chapado, toma café com suco de melancia e se limpa com a cortina do banheiro." É disso que essa gente negativa quer te convencer. Eles projetam uma certa imagem para que todo mundo tenha medo de mim e evite me conhecer.

Esses pregadores de rótulos vão levar muito tempo para digerir nosso som. Para começar, acho que não se deve separar o musical do visual. Essa gente que fala mal das nossas apresentações não sabe usar os olhos e os ouvidos ao mesmo tempo. Eles têm um botãozinho no ombro que não deixa a visão e a audição funcionarem ao mesmo tempo. Parecem ter alguma deficiência, como esses caras que não conseguem ver televisão e mascar chiclete ao mesmo tempo. E que se danem esses moleques que dizem que eu não toco com os dentes de verdade!

Quando nos encontramos na Inglaterra ninguém falou: "Certo, agora vamos tocar essa música, que tal eu me ajoelhar enquanto você, Mitch, gira as baquetas e você, Noel, põe o baixo em cima da cabeça?" Simplesmente nos colocaram juntos. A gente nunca tinha se visto antes, e todas essas coisas começaram a acontecer.

Fazemos isso para nossa própria satisfação. Tocamos para a plateia, mas eu também preciso me divertir. Às vezes, quando estou trabalhando para que um som saia um pouco diferente, preciso de um movimento físico para sentir aquela nota. Se me der vontade de largar a guitarra no chão e pisar nela, eu faço isso. Com o Noel é a mesma coisa. Ele toca seu instrumento do jeito que quer.

Se parasse de me mexer porque algumas pessoas não estavam conseguindo prestar atenção na música, eu estaria sendo desonesto comigo mesmo e me daria dez pontos negativos. Às vezes podemos até tocar parados. Outras vezes, fazemos o diabo no estúdio sem ninguém para olhar. É uma questão de sentimento. De como nos sentimos e de fazer a música fluir. Quanto mais cedo as pessoas entenderem, melhor.

E acho que já está na hora de entenderem que nossas apresentações nunca são iguais. Como poderiam, se estamos sempre buscando, improvisando, experimentando? É impossível. No início, seguíamos uma lista, mas eu logo joguei a lista fora, porque não estava a fim de tocar aquilo. Acho que o melhor termo para expressar isso é espontaneidade. Estamos sempre nos desenvolvendo dentro dessa espontaneidade. Logo, logo a coisa toda vai explodir.

As coisas têm que mexer comigo, e tenho que expressar meus sentimentos na hora. Foi por isso que, quando tocamos em Monterey, resolvi queimar meu instrumento. Eu estava curtindo muito a guitarra, tinha acabado de pintá-la naquele dia mesmo. Joguei fluido de isqueiro nela e depois pisei nos pedaços incendiados. A coisa deu muito certo e eu fiz de novo em Washington D.C. Quando tocamos no Hollywood Bowl, já estavam nos esperando com extintores de incêndio!

A CENA DA GUITARRA DESPEDAÇADA começou por acaso. Eu estava tocando em Copenhague e fui puxado para fora do palco. Estava tudo indo muito bem. Joguei a guitarra de volta para o palco e pulei atrás dela. Quando peguei o instrumento, vi que estava com uma rachadura no meio. Eu me descontrolei e despedacei o troço todo.

A plateia foi ao delírio – parecia que eu havia encontrado o "acorde perdido" ou qualquer coisa assim. Depois disso, sempre que a imprensa estivesse presente ou eu tivesse o mesmo sentimento, repetia o número. Mas não faço isso só para me exibir, e não sei explicar o que sinto. É como uma vontade de se liberar e fazer exatamente o que você quer quando seus pais não estão olhando.

Não sou um cara violento, mas, por causa desse ato, começaram a achar que eu era. Você repete essa destruição três ou quatro vezes e todo mundo fica pensando que você vai fazer isso sempre, mas só fazemos quando temos vontade. A gente começa a se sentir muito frustrado, a música vai ficando cada vez mais alta, até que, de repente, crash, bum, vira fumaça. Tem noites que vamos muito mal. Então, se arrebentamos alguma coisa, é porque aquele instrumento, que a gente tanto ama, simplesmente não está funcionando como deveria. Não está colaborando, então você tem vontade de matar aquilo. É uma relação de amor e ódio, é bem parecido com o que você às vezes sente quando sua namorada começa a aprontar. Dá para fazer isso porque nem a música nem o instrumento têm como reagir.

É só o meu lado ruim se manifestando. Quer dizer, por mais que você seja um doce de pessoa, há sempre coisas escuras e ruins em algum lugar lá no fundo. As minhas eu ponho para fora no palco, assim ninguém se machuca. E parece que, para o público, isso funciona também. Tentamos drenar toda a violência para fora deles. Usamos acordes básicos e emoção, não melodia. Podemos fazer um som violento, e de algum modo isso libera a violência deles. Não que eles saiam na porrada, é mais uma violência do bem. Quer dizer, a tristeza também pode ser violenta.

Quem sabe, depois de curtir a dose de violência que mostramos no palco, eles não perdem a vontade de sair por aí destruindo tudo? Sentir as vibrações e extravasar num lugar assim é de lavar a alma. É melhor do que descontar tudo se metendo em algum tumulto. A gente nunca deve chegar a esse ponto.

[O verão de 1967 ficou marcado pelos piores casos de violência racial de toda a década. O Experience tocou em Detroit em 15 de agosto, pouco depois de tumultos raciais que devastaram boa parte da cidade e deixaram 42 mortos.]

OS TUMULTOS NEGROS nos Estados Unidos são uma loucura. A discriminação é uma loucura. Acho que podemos viver juntos sem esses problemas, mas, por causa da violência, essas questões ainda não foram resolvidas. Já ouvi muita besteira de ambos os lados. É claro que eu não gosto de ver casas serem queimadas, mas, no momento, não me identifico muito com nenhuma das partes.

Não existe isso de problema de cor. É só uma arma a serviço das forças negativas que estão tentando destruir o país. Fazem pretos e brancos lutarem uns contra os outros e, assim, conseguem dominar os dois lados. É isso que o sistema quer. Eles deixam você brigar, deixam você ir para a rua e se meter em confusão. Mas depois metem você na cadeia. Se existissem guitarras elétricas nas plantações de antigamente, muita coisa teria se acertado, não só para os negros e brancos, mas para a causa.

Look at the sky turn a hell-fire red, Lord
Somebody's house is burning
Down, down, down, down.

Well, I asked my friend,
"Where is that black smoke coming from?"

He just coughed and changed the subject and said,
"Uh, it might snow some."

So I left him sipping his tea
And I jumped in my chariot and rode off
To see just why and who could it be this time.
Sisters and brothers, daddies,
Mothers standin' round crying.
When I reached the scene the flames
Were making a ghostly whine.
So I stood on my horse's back
And I screamed without a crack,
I say, "oh baby, why'd you burn
Your brother's house down?"

Well, someone stepped from the crowd,
He was nineteen miles high.
He shouts, "we're tired and disgusted,
So we paint red through the sky."
I say, "the truth is straight ahead,
So don't burn yourself instead,
Try to learn instead of burn, hear what I say!"*

---

* De "House Burning Down": "Olha o céu, vermelho como as chamas do inferno, Senhor,/ É a casa de alguém pegando/ Fogo, fogo, fogo. // Olha, eu perguntei a meu amigo,/ 'De onde vem essa fumaça preta?'./ Mas ele só tossiu, mudou de assunto e disse,/ 'É, pode nevar um pouco'. // Então eu o deixei tomando chá/ E saltei no meu carro de combate e parti/ Pra ver por que e quem podia ser dessa vez./ Irmãos e irmãs, pais e/ Mães, todos em volta, chorando./ Quando cheguei ao local as chamas/ Gemiam como fantasmas./ Então fiquei de pé no lombo do meu cavalo/ E gritei até perder a voz./ Eu pergunto, 'ei cara, por que você/ Incendiou a casa do seu irmão?' // E então alguém surgiu da multidão,/ Ele tinha uns trinta quilômetros de altura./ Ele grita, 'estamos cansados e indignados,/ Por isso pintamos os céus de vermelho'./ Eu digo, 'a verdade está logo em frente/ E não vale a pena se queimar,/ É melhor aprender do que queimar, ouça o que eu digo!'."

A gente sabe onde está a verdade. A verdade é que já é hora de nos unirmos! Se as pessoas pelo menos parassem de se acusar. A gente vê como isso é frustrante. O cara negro reclama com o cara branco por ter sido maltratado durante os últimos duzentos anos. Bom, ele foi mesmo, mas está na hora de resolver isso em vez de ficar falando sobre o passado. A gente já sabe que o passado não presta, então, em vez de ficar falando disso, vamos dar um jeito nas coisas hoje!

[8 de agosto de 1967, *Burning of the Midnight Lamp* é lançado nos EUA.]

Eu não me preocupo com a posição dos nossos discos na parada. *Burning of the Midnight Lamp*, que todo mundo aqui odiou, só chegou à 11ª posição. Dizem que foi nosso pior disco, mas para mim foi o melhor que já fizemos. Acho que o trabalho ficou incrível. Ainda bem que ele não cresceu demais para depois ser jogado fora. Muitos discos são maltratados nas paradas. São elevados até as três primeiras posições e depois desabam. Podem até ser bons, mas em quinze dias ninguém mais se lembrará deles.

Acho que *Burning of the Midnight Lamp* não foi bem compreendido. O disco pode até ser meio sombrio, um pouco nebuloso, mas é daquele tipo que pede uma segunda audição. Da primeira vez que escutei "Whiter Shade of Pale", do Procol Harum, o sentido não estava nada claro. Se entendi o primeiro verso foi muito. Mas, escutando de novo várias vezes, as peças acabaram se encaixando.

Comecei a compor essa música num voo de Los Angeles para Nova York e terminei num estúdio de lá. Tem muitos elementos pessoais ali. Eu estava me sentindo meio pra baixo. Mas acho que qualquer um pode entender esse sentimento de que, quando se está viajando, não importa onde se esteja, nenhum lugar é a nossa casa. O sentimento de um homem numa casinha velha no meio de um deserto à luz de um lampião à meia-noite. Nem tudo tem que ser pessoal, mas é assim que são as coisas...

The morning is dead and the day is too.
There's nothing left here to greet me but the velvet moon.
All my loneliness I have felt today.
It's a little more than enough to make
A man throw himself away.
And I continue to burn the Midnight Lamp, alone.

Now the smiling portrait of you
Is still hanging on my frowning wall
But it really doesn't, really doesn't bother me, too much at all.
It's just the ever falling dust that makes it so hard for me to see
That forgotten earring laying on the floor
Facing coldly towards the door
And I continue to burn the Midnight Lamp all alone.*

Não aguento ficar muito tempo no mesmo lugar. Fico deprimido, não importa o que esteja acontecendo. Tenho horror a ficar vegetando. Preciso seguir em frente. Há tanta coisa para ver e tantos lugares para ir. Eu queria poder viajar o tempo todo. A Inglaterra foi onde fiquei mais tempo, com exceção de Nova York. Eu curto esse país, mas não tenho um lar de verdade. Minha casa é a Terra.

---

* De "Burning of the Midnight Lamp": "A manhã morreu e o dia também./ A lua de veludo foi a única que ficou para me receber./ Hoje senti toda minha solidão./ Um pouco menos que isso já bastaria/ Para um homem se jogar fora./ E eu continuo queimando o lampião da meia-noite, sozinho.// Mas o seu retrato sorridente/ Ainda não saiu da minha parede carrancuda/ Mas a verdade é que isso na verdade não me incomoda tanto assim./ Só a poeira que não para de cair é que torna tão difícil ver/ Aquele brinco esquecido no chão/ Ali gelado em frente à porta/ E eu continuo a queimar o lampião da meia-noite, sozinho."

CAPÍTULO CINCO

(*Agosto de 1967 – Janeiro de 1968*)

EZY RIDER

There goes Ezy, Ezy Rider
Riding down the highway
Of desire
He says the free wind
Takes him higher
Trying to find his heaven above
But he's dying
To be loved.*

---

* "Lá vai Ezy, Ezy Rider./ Seguindo pela estrada/ Do desejo,/ Ele diz que o vento livre/ O leva mais alto/ E tenta encontrar seu paraíso no céu. / Mas está morrendo/ De vontade de ser amado."

[Em agosto de 1967, o Experience voltou à Europa para apresentações na TV e shows.]

EM TODO LUGAR que vou, gosto de encontrar gente. Gente com quem conversar, rir e fazer música. O mais importante é ter com quem falar. Acontece que, desde que cheguei à Europa, de cada cem pessoas que encontro só uma me deixa falar do que quero. Todos me perguntam minha idade, se é verdade que eu tenho sangue índio, quantas mulheres eu tive, se sou casado, se tenho um Rolls-Royce e outras bobagens do tipo. As pessoas que me curtem não querem saber de nada disso. O que elas querem é outra coisa. É sentir algo por dentro, algo real – revolução, luta, rebeldia. Elas não precisam fazer nenhuma pergunta para sacar qual é a sua. Elas percebem pela música. Mas falar assim não faz nenhum sentido. Eu só fico lá esperando a próxima pergunta e minhas respostas são geralmente mal interpretadas. Sei o que quero dizer, mas não encontro as palavras.

PARECE QUE AS PESSOAS na Escandinávia não estão preparadas para minha aparência. Na Suécia, nos tiraram do saguão do hotel só porque a princesa Alexandra estava passando! Imagino que o cara do hotel tenha nos achado meio desmazelados e estivesse tentando dar uma arrumada no local para a princesa. Ele foi muito legal. Nos convidou para beber alguma coisa. Estamos tocando nuns dez lugares aqui, acho. Não sei ao certo porque não fico tomando conta disso. Eu só vou lá e toco. Daqui a pouco vamos tirar umas férias, assim que acabar essa turnê escandinava.

Estamos trabalhando duríssimo agora. Depois que a gente faz um nome, fica ainda mais determinado a mantê-lo. De qualquer maneira, acho que seu nome só está feito quando você dá o último suspiro. Então, o que estamos tentando fazer é avançar cada vez mais, para que nossa música e nossos shows fiquem mais variados e interessantes e agradem a todas as faixas etárias.

[Em novembro e dezembro de 1967, o Experience encabeçou uma turnê britânica tendo como apoio The Move, Pink Floyd, Amen Corner, Outer Limits, The Nice e Eire Apparent.]

O início da minha primeira grande turnê não me assustava, mas não sabíamos como seríamos recebidos, já que havia tanta gente diferente tocando e a nossa seria provavelmente a apresentação mais extrema. Nas boates, tínhamos um público que vinha para nos ver, mas, agora, teríamos de todo tipo e de todas as idades. Como sempre, nós vamos lá tocar e agradar ao público. Até aqui, está sendo uma verdadeira loucura. Em Blackpool, a polícia ajudou Mitch e Noel a entrar escondidos por uma porta lateral e deu cinco voltas no quarteirão comigo antes de me botar para dentro. Perdi um pouco de cabelo, mas teria perdido tudo se eles não estivessem me protegendo!

É a melhor turnê de que já participei. Às vezes, quando a gente está concentrado tocando, escuta as adolescentes guinchando como leitõezinhos. Tem vezes que elas gritam na hora errada, como quando eu tusso, por exemplo. É uma sensação engraçada. É como: "Ah, não, aí vêm elas." É meio complicado explicar o que me irrita nessa situação. Quer dizer, a gente não toca de acordo com os gritos delas.

Meu grupo favorito nessa turnê é o Nice. O som deles é ridiculamente bom – original, livre, mais funky do que o West Coast. O West Coast não chegou à Inglaterra, a não ser que esteja escondido em algum nicho obscuro. O quente é o underground. E por aqui, se você não é Engelbert Humperdinck, você é underground.

TESTE CEGO:

"Strange Brew" (Cream). Ah, é claro que eu sei quem é, desde a primeira nota! Ah, isso é bom. Aquilo no fundo era uma trompa? Essas vozes e a guitarra soam tão bem juntas. Tem uma sonoridade meio estranha, meio West Coast, meio San Francisco. A guitarra do Eric está soando mais funky e relaxada. Aos poucos, ele está mudando, mas, um cara desses, a gente nunca pode dizer que ele vai sossegar. Seria um desastre se ele parasse. É um belo blues que você pode curtir no rádio entre uma música de Engelbert e outra de Cat Stevens. Gosto desse disco, só não sei se a garotada gosta. Mas o Cream não precisa se preocupar, porque estão tocando o que querem. Grupos como Cream, Traffic e Family são tão envolvidos com a própria música que estão criando uma cultura. A música deles é da maior importância para eles.

"Loving You" (Billy Fury). Esse cantor é inglês? Não é o Billy J. Kramer? Não, como é mesmo o nome dele – Billy Fury? Ele canta muito bem, e é o tipo de som que eu gostava de ouvir quando era pequeno. Um arranjo melhor ajudaria muito. É uma velha canção do Elvis Presley. O bom é que o Billy está aparecendo de novo. É legal.

"Come to the Sunshine" (Harpers Bizarre). Esse grupo é inglês também? Que vozes mais esquisitas. Quem pode ser? Ah, que som foi esse? Não sei, parece um conto de fadas, um tema de filme infantil. Pode tirar a música agora se quiser. Só sei que não é meu tipo de som. Pode ser que venda 20 milhões. É uma dessas gravações água com açúcar com uma sonoridade completamente comercial, sem nenhum sentimento, sem nada. Uma coisa feita só para vender discos.

"What Good Am I?" (Cilla Black). Parece uma versão feminina de Tim Hardin. Agora a coisa mudou de figura. Meu Deus, deve ser Cilla Black. Agora isso me lembra Sonny e Cher. É, eu gosto. A voz dela tem tanta força, soa como microfonia controlada. Agora ela está soando como Dionne Warwick! Meu Deus, o que está acontecendo atualmente? É, essa música dá uma sensação boa.

"Here Come the Nice" (Small Faces). Já ouvi essas vozes em algum lugar. O vocalista soa muito bem. Só pode ser o Small Faces. Eu ia perguntar se tem alguma garota no grupo! A música deles é bem funky, mas parecia uma voz feminina no início. A batida é ótima. Reconheci os vocais de apoio e a bateria. Meu Deus, o que está acontecendo? Estão fazendo um desses truques de Mrs. Millers, diminuindo a velocidade. Isso é um soprano com velocidade diminuída! É difícil dizer se vai fazer sucesso. Eu conheci os carinhas do grupo. Eles são todos tão pequenininhos. Quando cheguei aqui, eles estavam estourando, mas agora parece que a coisa esfriou. Espero que fique tudo bem com eles porque o grupo é muito bom, especialmente no que diz respeito à imagem. Eles deviam dar mais destaque ao vocalista. Eu gostaria de compor umas músicas para eles.

"She's Leaving Home" (Beatles). Quem são esses? Não são os Beatles, é comercial demais. As vozes não têm muita variação e tem um eco nos violinos. É alguma banda inglesa tentando soar como os Beatles. Está parecendo o Ringo. Ele não entrou em carreira solo, entrou? É uma das músicas mais comerciais do disco. O LP dos Beatles é um equipamento padrão para todos os grupos do momento. Todo mundo está tão preocupado com os Beatles e com os rumos que eles estão tomando. Que bobagem. Temos que ouvir a música pelo que ela é. Quem dera a gente terminasse que nem os Beatles!

Para mim, a música se move num grande ciclo e, no momento, está voltando a uma forma mais verdadeira. Houve uma época, não faz tanto tempo assim, em que tudo estava ficando muito superficial e ordinário. É que a música tinha começado a ficar complicada demais. Para entrar nessa é preciso ser bem autêntico, e não era isso que esses caras estavam fazendo. A ideia não é ser o mais complicado possível, mas colocar o máximo de você mesmo no que está fazendo. Tudo que eu toco, eu sinto. Estou botando para fora todos os meus sentimentos mais íntimos – agressividade, ternura, compaixão, tudo. Noel e o Mitch também. É um casamento de nossos sentimentos na música. Cada um dos três tem seu próprio espaço musical. Um é do rock, o outro é só jazz, enquanto eu sou do blues. Estamos juntos, mas cada um do seu jeito. Assim, tudo corre de uma maneira muito natural.

A música não pode ficar estagnada. É por isso que fazemos coisas novas. Já quase não consigo mais pensar em termos de blues. O conteúdo do blues de antigamente era cantar sobre sexo e birita. Hoje, temos gente fazendo uma música que nos diz muito mais. A Motown não é o som verdadeiro de nenhum artista negro. É tudo tão comercial, tão bem-construído, tão bonito que eu não sinto nada. Tudo o que eles fazem, e essa é a minha opinião, é colocar uma batida bem forte, uma batida muito boa. Depois, põem umas mil pessoas tocando tamborim, mais mil metais e mil violinos e os vocais são sobrepostos milhões de vezes. Para mim, isso soa tão artificial. "Soul sintético", é assim que eu chamo a Motown.

Não gosto que usem a palavra "soul" [alma] para falar do Experience. Uma dançarina espanhola tem alma. Todo mundo tem alma. A música não é a alma de ninguém. É algo que vem do coração mesmo da gente. Não precisa ser necessariamente notas físicas que se escutam pelos ouvidos. Podem ser notas sentidas, pensadas, imaginadas ou até mesmo vindas da emoção. Gosto das palavras "sentimento" e "vibração". Sou muito ligado nessa coisa do sentimento. Os sons de uma guitarra funky me dão um barato, mexem muito comigo. É quase como se eu entrasse dentro do som. Não estou dizendo que toco tão bem assim; só estou explicando o que sinto pelo instrumento e pelo som que ele produz.

Tenho umas oito guitarras, mas as duas que eu uso são a Fender Stratocaster e a Gibson Flying Angel, que tem a forma de um A e é raríssima na Inglaterra. A Fender eu toco porque meu uso é pesado e ela é a única que aguenta o tranco. Está todo mundo louco por uma Telecaster de sete anos, uma Gibson de doze ou uma Les Paul de 92. A onda agora é a idade, mas isso é só uma moda passageira. As guitarras de hoje não ficam atrás das antigas. Sabe, os vendedores vêm sempre com aquela conversa de que Chuck Berry levou aquela guitarra para o banheiro e que lá não tinha papel higiênico, então cuidado para não se sujar.

Eu testei a Telecaster e ela só tem duas variações de som, bom e ruim, e uma variação tonal muito fraca. A Guild é muito delicada, mas tem um dos melhores sons. Testei uma das Gibsons novas, mas não consegui tocar nada nela, então prefiro ficar com a minha Fender.

A Stratocaster é a melhor guitarra de uso geral para o tipo de coisa que estamos fazendo. Dá para tirar agudos radiantes e graves profundos. Uso cordas finas e as coloco um pouco mais altas para que soem por mais tempo. Não gosto de usar microfones. Para tirar o som que eu quero, uso a mão nos trastes e o amplificador. É um truque simples. Dou um ou dois giros bem rápidos no botão do amplificador. É assim que se tira aquele som cantado, assobiado – aquele som eletrônico. O segredo é controlar esse som com os dedos. O tamanho do amplificador não faz a menor diferença, só preciso saber que ele está lá. Não é que eu queira necessariamente ser mais barulhento. Tudo o que eu quero é conseguir esse impacto.

> *"Eu queria avisar que isso vai ser um pouco barulhento, só um pouquinho, porque esses amplificadores são ingleses e estamos na Suécia, e o sistema elétrico não está se dando muito bem com esse pedal australiano e essa guitarra americana…"*

Enquanto o equipamento aguentar, para nós, tudo bem. Os amplificadores nos dão muita dor de cabeça. Precisam ser revisados depois de cada viagem. Estamos sempre tocando envoltos pelas sombras e cinzas do show anterior. Acabamos de sair de uma turnê e acho que usamos uns quatro Marshalls. Esse deve ser o quinto conjunto e estão bem gastos. Foram bem maltratados. Eu ainda tenho umas quatro caixas de som e três válvulas. E Mitch Haze já está no terceiro par de baquetas!

Adoro meu bom e velho amplificador Marshall valvulado. Quando está funcionando bem, não tem nada no mundo que se compare. Ele parece com duas geladeiras encaixadas uma na outra. No Greenwich Village eu tinha um amplificador Fender ligado a uma velha caixa de som que fazia os sons mais estranhos. Foi quando comecei a usar a microfonia. Eu gostava de brincar com esse equipamento, e o que faço hoje é fruto dessas brincadeiras. É basicamente microfonia e o jeito como você controla os botões.

Veja, se você tirar uma placa aqui do fundo e bater nessas molinhas, vai ouvir uns barulhinhos esquisitos. E usamos também repetições, eco, wah-wah, esse tipo de coisa. O pedal wah-wah é uma maravilha porque não tem nota nenhuma. É só meter o pé nele e usar o vibrato. Daí entra a bateria, passando aquela sensação, não depressiva, mas solitária e frustrada, aquele anseio por algo, como uma tentativa de alcançar alguma coisa.

A primeira gravação com wah-wah que eu escutei foi "Tales of Brave Ulysses". Nosso primeiro LP saiu dois ou três dias depois que o Cream apareceu com essa música, e na faixa "I Don't Live Today" tem um solo de guitarra que parece um wah-wah. Mas estávamos usando um wah-wah de mão. Foi só uma coincidência, a gente não sabia nada sobre o disco deles e eles não sabiam nada sobre o nosso.

Meu jeito de tocar guitarra é bem cru, um estilo natural. Mas o mais essencial é o tempo, o ritmo. O mundo hoje está cheio de solistas maravilhosos, tocando solos lindos, cheios de gordura, mas muitos deles acabam esquecendo a seção rítmica, já está até ficando monótono de escutar. Eric Clapton é um grande guitarrista e nós temos ideias parecidas, mas não sei se ele está tocando exatamente o que quer. Eu estava improvisando com ele uma noite dessas e foi bem legal, mas eu queria ouvir o Eric soltando alguns acordes!

"Shapes of Things" foi a única gravação do Jeff Beck que ouvi. Curti bastante, mas não cheguei a ser influenciado por ele. Eu escuto todo mundo, mas não tento imitar ninguém. Os caras que eu curto hoje são Albert King e Elmore James, mas se você for tentar imitar cada nota deles sua cabeça começa a voar. Então, você curte os caras e depois faz seu próprio som. Tem outros músicos fazendo muita coisa boa, cada um do seu próprio jeito. Tem um cara que eu ainda estou querendo apresentar às pessoas. O nome dele é Albert Collins. Ele está tocando numa banda em algum fim de mundo. Ele é bom, muito bom, mas é um cara ligado na família e não quer se afastar muito de casa. Não é sempre assim?

Como guitarrista, nunca tentei estabelecer uma sonoridade definida. Quando Chuck Berry, Duane Eddy ou Bo Diddley tocam, todo mundo reconhece. Já eu estou sempre buscando coisas novas. Temos que fazer tudo de cabeça aberta. Se você é um jovem com vontade de fazer música, tem tanta coisa diferente nesse mundo para influenciar você. Mas tem uns caras que precisam ser guiados a cada passo. Para chegar lá, pode até ter alguém ajudando, dando conselhos, mas o esforço tem que ser seu. Você pode se apoiar nas costas de alguém para começar, mas vai acabar tendo que seguir seu próprio caminho.

O que eu mais gosto é a guitarra. Mas não é necessariamente nela que estou interessado. É a minha música que eu estou tentando passar. Música para mim é coisa séria. É minha forma de expressar o que quero dizer. Se eu não conseguir dar forma aos sons que escuto, ninguém mais vai conseguir.

[Eleito o "maior músico do mundo" numa enquete da *Melody Maker*.]

Eu, o melhor do mundo? Que bobagem.

Claro que eu gostei de saber que eles disseram isso, mas não é nada fácil dizer quem é o melhor. Ainda não entendi essa história direito, afinal faz só um ano que estou tocando na Inglaterra. Acho que tive a sorte de conseguir ser ouvido. Existem tantos grupos bons que não tiveram essa chance.

Não me importo com o que os críticos dizem. Estou me lixando para meu futuro e para minha carreira. Minha única preocupação é conseguir me expressar. Daqui a pouco eu estou partindo para outra, para um som novo, um disco novo, uma experiência nova. Só fazemos o que temos vontade. Nada é planejado. Simplesmente acontece. Nunca vamos tentar seguir tendência nenhuma, porque podemos ditar nossa própria tendência.

Eu me sinto muito respeitado por fazer o que faço, mas ainda fico meio preocupado. Acho que todo mundo devia abrir um pouco a cabeça para o fato de que somos um grupo de três. Tem dois outros caras dando tão duro quanto eu. Se não fosse por Mitch e Noel, eu não poderia fazer o meu som. Mitch, em especial, tem tantas contribuições a dar. O mais importante é que somos um grupo e nosso novo álbum, *Axis: Bold as Love*, foi feito para mostrar o que mais nós fazemos além da minha guitarra.

[1º de dezembro de 1967, *Axis: Bold as Love* é lançado no Reino Unido.]

O disco foi feito em dezesseis dias, o que é uma pena. Tinha que ficar pronto rápido para ser entregue pelo Papai Noel. Nos dedicamos pra valer a esse trabalho e todas as músicas saíram exatamente como queríamos, quer dizer, o álbum é mesmo nosso. Todos nós ajudamos Chas Chandler na produção e eu também mixei o disco com ele. A mixagem ficou ótima, mas acabamos perdendo o original e, no dia seguinte, tivemos que mixar tudo de novo em onze horas. Não foi nada fácil. Poderia ter ficado muito melhor. As músicas também poderiam ser melhores. É só acabar um disco que já aparecem cem ideias completamente novas.

Somos só nós três no disco, a não ser por uma música, "You Got Me Floatin'", que tem um cara do Move cantando no fundo com Noel e Mitch. E no final de "If Six Was Nine", quando o som já vai baixando, ainda dá para ouvir nosso empresário batendo os pezões. Aquilo tudo foi uma jam session e as palavras só entraram depois. Gary Leeds e Graham Nash estavam lá batendo pé e aquele era eu tocando flauta. É isso que eu chamo de sentimento do blues, é aquilo que você está sentindo na hora.

Adoro "If Six Was Nine". A ideia é que, se uma coisa não incomoda você, se você sabe lidar com ela, na verdade não importa que esteja tudo de cabeça para baixo. A música não fala mal de ninguém. Ela só diz, quem quiser se ferrar que se ferre, mas não mexam comigo.

Em "Spanish Castle Magic" Noel usa um baixo de oito cordas. Eu estava tocando a mesma coisa na guitarra em uníssono com o baixo. Não ficou tão claro quanto a gente queria, mas já dá uma ideia do que estávamos tentando fazer. É um lugar para onde você não mandaria sua avó. Dedicamos essa música aos policiais à paisana e aos outros babacas.

O jazz em "Up from the Skies" é obra do Mitch. É a história de um cara que já tinha estado na Terra numa outra era. Agora ele está de volta para ver a situação atual, com gente morando em prédios cinzentos e tal, criando poeira. E as pessoas saem por aí gritando "Ah, o mundo é lindo, o mundo é lindo!" enquanto se alimentam de raízes como ratos. A gente tem que respeitar as ideias dos outros, desde que não façam mal a ninguém. É preciso respeitar a passagem do tempo. Por que continuar vivendo no passado?

Pessoalmente, gosto de fazer músicas como "Castles Made of Sand". Muitas vezes, vemos alguma coisa e temos uma ideia, depois escrevemos como queríamos que as coisas tivessem acontecido ou como poderiam ter acontecido. É como se aquelas construções não fossem mais ficar de pé por muito tempo. Quando chega a hora da mudança, a gente tem mesmo que agir. Gosto de compor músicas lentas porque é mais fácil botar blues e sentimento nelas.

"Little Wing" é baseada num estilo indígena da maior simplicidade. A ideia me ocorreu em Monterey, quando eu estava observando tudo à minha volta. Então, pensei em juntar tudo o que tinha visto na forma de uma garota chamada "Little Wing". Ela simplesmente sai voando. Estava todo mundo meio que voando, num clima legal, até a polícia estava curtindo. O que eu fiz foi pegar isso tudo e colocar numa caixinha de fósforos bem pequenininha. É assim que tem que ser. Bem simples. Mas eu gosto. É uma das poucas de que eu gosto.

Em "Little Wing" usamos uma caixa Leslie de órgão na guitarra, ficou um som gelatinoso. E temos um aparelhinho, o Octavia, que usamos numa música chamada "One Rainy Wish". O resultado fica uma oitava acima, então as notas mais agudas às vezes soam como um apito ou flauta.

Na maioria das faixas mais doidonas, estávamos tentando partir para uma outra dimensão, tentando conseguir aquele efeito celestial, como se a música estivesse descendo dos céus. Em "Bold as Love", por exemplo, usamos um efeito chamado *phasing*. Soa como aviões atravessando suas membranas e cromossomos. Um cara criou esse som por acidente e chamou nossa atenção. Era um som todo especial, e não queríamos usar aviões gravados. Queríamos alcançá-lo apenas distorcendo a música.

Mas boa parte do segredo do meu som está no gênio eletrônico do nosso cientista de estimação, que chamamos de Roger the Valve [Roger Mayer]. Ele é um especialista em eletrônica que trabalha num órgão do governo e provavelmente perderia o emprego se descobrissem que está trabalhando para um grupo pop. Nós pensamos nos sons mais incríveis e ele consegue criá-los.

Ele reencordoou minha guitarra de um jeito especial para produzir um som único e me fez um *fuzz tone* fantástico. Adoro sons diferentes, desde que tenham a ver com o que estamos querendo dizer ou me toquem de alguma maneira. Não faço truques e esquisitices só para ser diferente. Não se esqueçam da música. Nós não esquecemos.

Algumas pessoas me disseram que o primeiro álbum soava igual do começo ao fim. Acontece que o tempo era curto. Era o primeiro, uma coisa rápida, entende, para um grupo novo. Em *Axis* tem coisas mais suaves, mais coisas para pensar. A guitarra é menos barulhenta, porque a ênfase está nas palavras. Acho que estamos ficando menos rebeldes, entende? Quem escutar *Axis* sem a devida atenção vai acabar adormecendo.

EU ESTAVA AGORA MESMO pensando nesse título. Deve haver um sentido por trás da coisa toda. O eixo [axis] da Terra se altera e muda a face do mundo, fazendo surgir civilizações completamente novas, começando uma nova era. Em outras palavras, muda a face da Terra em poucas horas.

Bem, com o amor é a mesma coisa. Ele pode virar seu mundo de cabeça para baixo, como o eixo da Terra. É essa a sua força, a sua audácia. As pessoas se matam por amor. Mas quando se ama alguém ou algo, uma ideia, por exemplo, o amor vence o ódio e o tempo, move o mar e as montanhas. É isso que eu sinto. Acho que é isso que eu queria dizer.

Anger, he smiles,
Towering in shiny metallic purple armor.
Queen jealousy, envy, waits behind him,
Her fiery green gown sneers at the grassy ground.
Blue are the life-giving waters taking for granted,
They quietly understand.
Once happy turquoise armies lay opposite,
Ready, but wondering why the fight is on.
But they're all bold as love,
They're bold as love.
Just ask the axis.

My red is so confident
He flashes trophies of war and ribbons of euphoria.
Orange is young, full of daring,
But very unsteady for the first go-round.

My yellow in this case is not so mellow.
In fact, I'm trying to say that it's frightened,
Like me.
And all these emotions of mine keep holding me
From giving my life to a rainbow like you.
But I'm bold as love,
Well, I'm bold as love...
Just ask the axis.
He knows everything.*

Às vezes a gente não vê as coisas do mesmo jeito que todo mundo e, então, botamos isso numa música. Pode ser qualquer coisa. Alguns sentimentos, por exemplo, fazem pensar em certas cores. O ciúme é púrpura. Fico púrpura de raiva ou de ódio. E o verde é de inveja. É como explicar todas as suas emoções em cores para uma certa garota que tem todas as cores do mundo. Em outras palavras, você não acha que tem que deixar todas essas emoções de lado, mas está disposto a tentar.

Minha inspiração vem muito das garotas. Para mim, é como se todas fossem uma só. Como se "The Wind Cries Mary" representasse mais de uma pessoa. E ela é a que aparece de verdade. "Little Wing" foi um doce de garota que veio e me ofereceu toda sua vida e ainda mais se eu quisesse. E eu fui um idiota, estraguei tudo e dei o fora.

---

* De "Bold as Love": "Ele, a ira, sorri,/ Imponente na armadura púrpura de metal brilhante./ A rainha ciúme, a inveja, vem logo atrás dele,/ De vestido verde ardente com seu esgar sobre o gramado./ Azuis são as águas doadoras de vida, que não questionam/ E caladas compreendem./ Do outro lado, os exércitos turquesa, antes felizes,/ Prontos, mas sem entender o porquê da luta./ Mas todos eles têm a coragem do amor,/ Todos eles têm a coragem do amor,/ Pergunte ao eixo.// Meu vermelho é tão confiante,/ Ele ostenta troféus de guerra e faixas de euforia./ O laranja é jovem, cheio de ousadia,/ Mas ainda vacila um pouco no primeiro ataque./ Meu amarelo ainda não está no ponto./ Na verdade, o que quero dizer é que ele está tão assustado,/ Quanto eu./ E essas minhas emoções todas me impedem/ De dar minha vida a esse arco-íris que é você./ Mas tenho a coragem do amor./ Olha, eu tenho a coragem do amor.../ Pergunte ao eixo./ Ele sabe tudo."

Não dá para manter nenhum relacionamento quando se vive uma vida louca como a minha. Sou um aventureiro viajando pelo mundo à procura de emoção. É como nos velhos tempos de guerra, quando vamos para a cidade festejar, beber e tudo o mais. Vamos lá tocar e somos cercados por essas garotas, que sabem nos divertir. E a gente acaba se apaixonando de verdade por elas, porque esse é o único amor possível.

Quando eu estava na pior eram as garotas que vinham me ajudar. Uma delas até comprou uma guitarra para mim. Nesse dia eu disse para mim mesmo: "Bom, de agora em diante vou tentar dar valor a toda garota que encontrar!" Mas, falando sério, isso é natural. A gente não deve ser invejoso, porque, se você não estiver acostumado, a inveja pode até matar!

Às vezes não é nada fácil ser legal com todas elas. Se elas me convidam para a casa delas e eu digo "não, obrigado", acham que sou esnobe. E metade delas faz perguntas idiotas como "Qual foi a última vez que você esteve com John Lennon?" ou "Pode me arranjar autógrafos dos Box Tops?". E algumas são muito competitivas. Uma se gaba para as amigas dizendo "Ah, eu já fiquei com ele antes", e as outras respondem: "Como será que é dormir com o John Walker?"

Alguns as chamam de "groupies". Nós as chamamos de "colaboradoras da banda". São só meninas inocentes tentando viver a vida do jeito delas. Mas o establishment é tão careta em relação ao sexo que faz tudo o que pode para sujar a imagem delas. Então, o homem inseguro prega uma etiqueta nelas – vá chupar seu astro preferido. Ninguém fala das que trazem flores e voltam para a casa das mães.

Sou o maior careta de todos na hora de me aproximar de alguém em quem estou interessado. Não dá para se guiar pela aparência, porque, cara, você sabe como é. Algumas delas são as piores pessoas do mundo. As garotas têm outras coisas a oferecer além da beleza. A primeira coisa que faço quando conheço uma garota é ver se ela é humana. É tão bom encontrar uma garota que não usa máscaras, que tem coragem de ser legal.

Fico triste quando passo de táxi e vejo todas aquelas garotas andando pela rua, porque nunca vou conhecê-las, e talvez alguma delas fosse a pessoa certa para mim. Posso me apaixonar de verdade por uma garota e posso também me apaixonar por outra, ao mesmo tempo, mas de outra maneira. Acho que às vezes eu me confundo.

May this be love or just confusion,
Born out of frustration, wracked
Feelings of not being able to
Make true physical love to
The universal gypsy queen,
True, free expressed music.
Darling guitar
Please rest.
Amen.*

Para mim, a guitarra e a música vêm em primeiro lugar. Só depois eu penso nas mulheres. Com a música, não sobra tempo para mais nada. Não tenho a intenção de me casar. Não dá nem para imaginar. O casamento e outras formas artificiais que passaram de geração em geração ensinam que é errado fazer amor com uma garota ou uma prostituta ou passar para o outro lado depois de se consumir por anos. Tudo isso não passa de regras artificiais. Uma certidão de casamento é apenas um pedaço de papel que só serve para as pessoas inseguras. Você pode se dar a alguém e, no momento seguinte, pode não se dar mais. Porque a vida é sua, não dá para esquecer disso.

---

* De "May This Be Love (Waterfall)": "Que isso seja amor ou só confusão,/ Nascida do sentimento frustrado e/ Arrasador de não poder/ Fazer amor físico e verdadeiro/ Com a rainha cigana universal,/ Música verdadeira e livremente expressa,/ Guitarra querida,/ Por favor, descanse./ Amém."

A palavra-chave disso tudo é liberdade. As pessoas não entendem isso porque seus cérebros são complexos demais. Você sabe por que cada ser humano na face da Terra é tão diferente dos outros? Existe um propósito por trás disso. Cada um faz suas escolhas. Cada um pode fazer exatamente o que quer. Quando chega a hora de morrer, você tem que fazer isso sozinho. Não vai ter ninguém para ajudar.

Palavras bonitas não ajudam ninguém.

CARTA A UMA FÃ:

> O que os outros pensam não importa enquanto sua mente, sua fala e seu pensamento continuarem livres. Não deixe que ninguém a force a negar suas próprias ideias e sonhos. Tenho muito interesse em conhecer você. Acho que seria ótimo ter uma conversa bem longa com você. Você parece ser bem diferente das outras garotas que escrevem para a gente. Penso que sua cabeça está no lugar. MAS!! – nunca mais se chame de estúpida na VIDA. É a sua vida. Ninguém vai morrer no seu lugar, então, pelo amor de Deus, viva a sua vida e a de mais ninguém.
> Amo você para sempre,
>
> Jimi Hendrix

Você está feliz por voltar a Londres?
Londres é um lugar especial. Eu sou basicamente um cara do interior. Na cidade eu fico maluco, mas não considero Londres uma cidade. Aqui é mais tranquilo.

Por que você leva duas moedas dentro do sapato?
Isso era tudo o que eu tinha quando cheguei neste país.

O que você acha da polícia britânica?

Acho a polícia daqui o máximo. Eles não incomodam muito. Outro dia eu estava andando muito doido pelas ruas de Londres, completamente chapado, quando veio um carro da polícia. Eles disseram "Oi, Jimi, como vai?", e eu respondi: "É amanhã… ou só o fim dos tempos?"

Você usa LSD?

Eu tenho cara de quem usa?

Por que não?

O LSD é nu e cru. Eu preciso de oxigênio.

E o que você acha da cena hippie britânica em comparação com a americana?

O movimento aqui não é tão organizado. Tudo o que eles têm são uns caras de visual esquisito. É uma coisa pequena, não dá para comparar com os Estados Unidos.

Os ensinamentos de Maharishi Mahesh Yogi lhe dizem alguma coisa?

Na verdade, eu não acho que a meditação transcendental seja muito mais do que uma forma de sonhar acordado. Quem acredita em si mesmo consegue isso sozinho. Não precisa de ninguém para isso.

O que você faz no seu tempo livre?

Quando não estou trabalhando, quase não saio do meu apartamento. Geralmente, fico em casa escutando discos. Não gosto de me arrumar para festas e eventos sociais, mas a gente tem que fazer isso. Sempre tenho a impressão de que vou chegar num desses lugares vestido como eu mesmo e não vão me deixar entrar. Essas coisas eu prefiro deixar, tanto quanto possível, para os glamourosos, os Engelberts e os Tom Jones. São eles que têm uma voz bonita o suficiente para cantar nos comerciais de TV. Eu só estou tentando fazer a minha música.

Quais são suas ambições hoje?
Ah, isso muda cem vezes por dia. Não dá para prever a forma das nuvens antes de vê-las. A vida é uma só. Amanhã, posso não estar mais aqui, é por isso que faço o que estou fazendo agora. Porque, você sabe, os seres humanos morrem fácil.

Você gosta de crianças?
Gosto. Acho que gosto de crianças de todas as idades.

E dos idosos?
Eles às vezes são barra-pesada. Tem uns inclusive que deixam para trás muita gente da minha geração. A gente tem a idade que acredita ter. Se sua cabeça ainda está funcionando, você continua jovem.

Você consegue se imaginar com oitenta anos?
Não acho que ainda estarei aqui aos oitenta anos. Tenho mais o que fazer do que ficar sentado esperando essa idade chegar, então não fico pensando muito nisso.

O dinheiro mudou você?
Bom, para falar a verdade, nem sei quanto ganhamos hoje com o Experience. A cada semana, pegamos o que precisamos para nossas necessidades. Eu não ligo para isso, desde que tenha o suficiente para comer e tocar o que quero.

Tem alguma coisa que você não consiga fazer?
Não sei me expressar numa conversa. Não sei me explicar assim ou assado. Então, quando estamos no palco, não existe mais nada no mundo. É a minha vida toda que está lá.

Até onde você pode ir com a música que está tocando?
Não sei. Acho que dá para continuar até o ponto de morrer de tédio. Fico feliz em conseguir tocar o que sinto agora. Eu toco de ouvido, cara! Sei que o público muda muito, mas não tenho medo do amanhã.

De onde vêm as suas músicas?
Das pessoas, do trânsito, de tudo o que está aí. O mundo todo me influencia. Todo mundo e todas as coisas são música. Não dá para planejar uma canção. Você não entra numa onda e escreve uma canção. A inspiração para uma música pode vir a qualquer momento, porque a música é só aquilo que a gente sente. As ideias vêm muito fácil. É só dar uma forma satisfatória às músicas. Na maior parte das vezes eu fico na cama ou vou para o parque, ou outro lugar qualquer. Algumas das minhas melhores músicas eu escrevo na cama, apenas deitado lá. Quando você chegou eu estava deitado pensando numa música. Eu sonho muito, e transformo muitos dos meus sonhos em música.

Você sonha em cores?
É claro. Nunca na vida sonhei em preto e branco. Tive, no máximo, um sonho em tons pastel, sabe? Uma vez tive esse sonho em tons pastel. Era marrom. Um marrom bem claro. Até que, do nada, surgia um penhasco enorme de ouro. Incrível! Foi o mais perto que já cheguei do preto e branco.

Qual é a sua resolução de Ano-novo?
Manter o eixo girando para que o amor siga a música como a noite sucede o dia.

[Em janeiro de 1968, o Experience excursionou pela Suécia e pela Dinamarca.]

NUNCA HAVÍAMOS TENTADO tocar nada de *Axis* no palco antes, então o público sueco vai ser o primeiro a experimentar esse acontecimento. Sempre gostei da Suécia, e gosto de me apresentar aqui porque sinto que os suecos entendem o propósito da nossa música. No mundo existem muitas maneiras diferentes de demonstrar aprovação, mas os suecos fazem isso melhor do que ninguém. Eles demonstram isso fazendo o mais absoluto silêncio enquanto estamos tocando. Quer dizer, sempre tem um ou outro cara correndo e caindo das galerias. Mas a grande maioria fica completamente calada e espera até que tudo tenha acabado para, só então, bater palmas.

Soa como se as paredes estivessem desabando.

[Jimi foi preso em Gotemburgo por destruir um quarto de hotel.]

Estávamos voltando para o hotel quando encontramos uns amigos que começaram uma festa. Bebi um bocado de aguardente. Depois disso, não lembro de mais nada. Acho que acordei na delegacia. Fiquei com alguns cortes na mão e algumas coisas ficaram quebradas também. Deve levar um tempo até que minha mão direita fique boa. Dói à beça, mas o show não pode parar.

Os jornais fizeram a coisa parecer maior do que era. Será que eles têm que exagerar sempre? Todo mundo bebe um pouco de vez em quando. Só quando alguém famoso faz isso é que os jornais transformam em manchete. Nunca havia acontecido nada parecido comigo. Estou convencido de que colocaram alguma coisa na minha bebida. Tenho certeza, porque no dia seguinte não tive nenhuma ressaca, só uma sensação esquisita que eu nunca havia tido antes. Daqui para a frente é melhor ficar só no chá e no leite! Você acha que isso ainda vai render muita merda? Eu me sinto mal com isso, de verdade. Mas da próxima vez vai ser melhor. Nós também somos seres humanos como todo mundo, não somos?

Desde que cheguei ao topo, tudo aconteceu tão rápido. O negócio do pop é muito mais barra-pesada do que as pessoas pensam. É de pirar, de fundir a cuca. Os caras que ganham a vida cavando fossos não sabem a sorte que têm. Estamos sob uma pressão constante e nossa jornada de trabalho muitas vezes é de 24 horas. Temos que dar nosso sangue a cada show. Eu mal consigo comer alguma coisa. Estamos sempre na estrada. Olha, comer mal já está tendo efeitos até na minha pele. Ficar deprimido é comum. Nada mais natural do que precisarmos de um estimulante de vez em quando. Depois de Estocolmo, vou pegar leve por uns tempos.

Preciso ir mais devagar.

O QUE EU MAIS QUERIA era esquecer tudo o que aconteceu antes de 1968. É o que chamamos de fim do começo. É agora que eu pretendo começar a fazer música de verdade. Quero criar sons novos, tentar transmitir meus sonhos para o público. A música precisa continuar se expandindo para sempre, cada vez mais longe. A garotada escuta de cabeça aberta, mas eu não quero dar a eles sempre a mesma coisa. Seria uma cena triste ficar anunciando: "Agora vamos tocar essa música. Agora aquela outra." Quero continuar fazendo coisas novas, músicas diferentes, coisas diferentes em termos visuais.

Tenho vontade de experimentar com instrumentações diferentes – manter o trio base mas acrescentar outros músicos, temporariamente, quando quisermos um som diferente. Estou tentando também elaborar todo um novo conceito de espetáculo, algo mais parecido com uma peça com uma boa apresentação no palco. Imagine pegar *Otelo* e fazer do seu jeito? Daria para fazer umas canções incríveis. Não seria preciso seguir o texto à risca. Ninguém seria a estrela. Todos trabalhariam juntos. Cada música teria uma formação e um arranjo completamente diferente e estranho. E usaríamos filmes e caixas de som estéreo no fundo do auditório, por todo lado. É difícil de explicar, mas seria muito natural, ainda que de uma maneira ensaiada.

Acima de tudo, nossos discos vão ficar melhores, isso do ponto de vista da técnica de gravação. Até agora, não ficamos satisfeitos com nenhum. Nosso produtor até o momento, Chas Chandler, nunca soube captar a sensação certa ao operar a sala de controles. No futuro, nós mesmos vamos cuidar desses detalhes, com a ajuda de Dave Mason, que deixou o Traffic para, entre outras coisas, dedicar mais tempo a isso.

Entre uma turnê e outra, estamos preparando um disco novo. Talvez a gente inclua duas faixas do novo álbum de Bob Dylan. Aliás, até já gravamos uma, "All Along the Watchtower". Dylan segue seu próprio caminho. No momento, não está muito por cima no mundo da música, mas continua indo até as últimas consequências. Ele é cada vez mais um compositor. Em "All Along the Watchtower", diz as coisas de uma maneira incrível.

Estou na expectativa pelo início da nossa turnê de seis semanas pelos Estados Unidos, em fevereiro. Mas, no momento, minha maior expectativa é voltar a dormir…

CAPÍTULO SEIS

(*Fevereiro de 1968 – Dezembro de 1968*)

STONE FREE

Ev'ry day in the week
I'm in a different city.
If I stay too long
The people try to pull me down.
They talk about me like a dog,
Talk about the clothes I wear,
But they don't realize
They're the ones who's square.*

---

* "A cada dia da semana/ Estou numa cidade diferente./ Se fico por tempo demais,/ Tentam me derrubar./ Falam de mim como de um cachorro,/ Falam das roupas que visto,/ Mas eles não percebem/ Que são eles os quadrados."

Essa é nossa segunda visita aos Estados Unidos. Aqui é possível comprar milkshake de chocolate na farmácia, chiclete no posto de gasolina e sopa em máquinas de beira de estrada.

É o máximo, é lindo, é uma esculhambação, é indecente e preconceituoso e tem de tudo.

[1º de fevereiro de 1968, a primeira grande turnê americana do Experience como atração principal é aberta no Fillmore West, San Francisco.]

Eu não lembro de nada do que aconteceu no Fillmore ontem à noite. Estou ficando completamente biruta. Era como uma cena de filme. Estávamos no estúdio em Londres, fazendo um som incrível, coisa de doido mesmo, e, no dia seguinte, sem que soubéssemos de nada, já estavam nos levando dali. Então, nos jogaram direto em Paris, no Olympia, e lá estávamos nós, esperando por duas horas no aeroporto de Londres. Daí, fomos parar em Nova York, perdidos pelas ruas. Sempre de uma hora para outra. E depois fizeram uma entrevista coletiva, e aqui estamos, pensando nessas músicas. Com essas músicas na cabeça. Só queremos voltar o mais rápido possível para o que estávamos fazendo no estúdio, porque é isso que faz nossa mente funcionar.

E foi assim que fomos parar no Fillmore. É claro que queríamos tocar lá, mas não paramos de pensar em tudo isso que estamos gravando, uma coisa completamente diferente do que estávamos fazendo lá. Se soubessem como anda nossa cabeça, se estamos lá por inteiro ou não. Estamos sempre trabalhando, só paramos para dormir. E nunca conseguimos ensaiar. Ensaiamos quase que só em pensamento. Fizemos uns três ensaios desde que estamos juntos. No máximo conseguimos fazer uma jam de vez em quando. É no palco que conseguimos passar mais tempo tocando juntos.

Mas as turnês são uma dessas coisas que não dá para evitar. Muita gente ainda não nos compreendeu plenamente e, se pararmos com as turnês, nunca vão nos entender. Ninguém iria nos ouvir.

[O Experience tinha um show agendado para 12 de fevereiro na Center Arena, em Seattle.]

Eu queria tanto voltar para casa. Já se passaram sete anos. Acho que eu podia ligar para eles e dizer: "Olha, hum, montei essa banda e..."

Estive com minha família e tivemos um raro momento de felicidade. Tem o meu pai, que se casou de novo, e o meu irmão, Leon, que está com dezenove anos, acho, e tentando formar sua própria banda. E tenho também uma irmã de seis, Genevieve, que eu ainda não conhecia. Para você ver como faz tempo. Ela é uma gracinha. Guarda todos os artigos que lê sobre mim e todas as fotos. Tenho uma foto dela. Tão lindinha. Fico muito orgulhoso dos artigos de jornal e do dinheiro que mando para eles. Só assim meu pai fica contente. Eu disse a ele: "Pai, eu poderia comprar uma casa para você. Quero comprá-la neste inverno."

Quando as coisas ainda não estavam dando certo para a gente, eu já estava pensando no futuro. Eu pensava, bom, dá para ganhar dinheiro com isso, e vou ganhar, mas não vou pirar quando isso acontecer. Vi tanta gente no mundo da música ganhar um monte de dinheiro e perder a cabeça. Ficam ricos, mas infelizes. Por isso que eu disse: "Se um dia eu chegar a esse estágio, vou manter a cabeça no lugar." Metade das bandas não é livre para mudar quando quer. Estão todos pensando na carreira e no futuro. Estou me lixando para minha carreira e meu futuro. O dinheiro que ganho é para fazer com que coisas melhores aconteçam.

Visitei a Garfield High School, minha antiga escola, de onde fui expulso aos dezessete anos. Será que minha velha professora curtiu me ver recebendo as chaves de Seattle? Será que ela virou uma Filha da Revolução? Cara, esse lance em Seattle não é pouca coisa! As únicas chaves que eu esperava ver nessa cidade eram as da cadeia. Quando eu era garoto lá, escapei da polícia várias vezes por um triz. Sempre gostei de vestir roupas legais, e a única maneira de consegui-las era pela janela dos fundos das lojas. Fiz um show para os garotos lá. Só eu. Só que era às oito da manhã. Cancelaram o primeiro tempo para me ouvir.

"Alguém aí tem alguma pergunta? Ninguém?"

Há quanto tempo você não vem a Seattle?
Ah, uns 5 mil anos.

Como você compõe uma música?
Agora mesmo, vou dizer adeus a vocês, sair por aquela porta, entrar na minha limusine e seguir para o aeroporto. E quando eu passar pela porta, esta reunião estará encerrada e o sinal vai tocar. *E, quando entrar na limusine e ouvir o sinal tocando, é provável que eu faça uma música.*

Muito obrigado.

Ainda não vi nenhuma cidade tão bonita quanto Seattle, com toda aquela água e aquelas montanhas. Era lindo, mas eu não poderia viver lá. A gente fica inquieto e, quando se dá conta, já ficou velho e não conhece o mundo. Tendo esse mundão velho e gordo, quem quer viver no mesmo lugar para sempre? Agora, só volto a Seattle num caixão.

[A turnê continuou percorrendo os EUA em fevereiro, março e abril de 1968.]

TRECHOS DO DIÁRIO

25 de fevereiro, Chicago. Depois de algum tempo, é pelas mulheres que a gente se lembra das cidades em que esteve. Chegamos numa cidade nova e não temos tempo para mais nada, só para pegar umas garotas, então não tem como não lembrar delas. Só que, ultimamente, tenho confundido as garotas e as cidades, por isso estou tirando fotos para não esquecer.

19 de março. Chegamos em Ottawa. Hotel bonito. Gente esquisita. Falei com Joni Mitchell pelo telefone. Acho que vou gravá-la esta noite com meu gravador maravilhoso – bate na madeira. Humm… não tem nada de madeira… é tudo de plástico… Som maravilhoso no primeiro show. Bom no segundo. Fui a um clube pequeno ver a Joni. Garota fantástica com letras divinas. Vamos todos a uma festa. Milhões de garotas. Escutamos fitas e fumamos. Voltamos ao hotel.

20 de março. Deixamos Ottawa hoje. Dei um beijo em Joni Mitchell. Dormi um pouco no carro. Paramos num restaurante de beira de estrada, igualzinho a esses que a gente vê no cinema. Mitch e eu discutimos nossos planos para um filme. Discordamos em um ou outro detalhe, mas logo vamos aparar as arestas.

Esta noite em Rochester não aconteceu nada. Fomos a um restaurante muito, muito ruim. Somos seguidos por uns caras barra-pesada. Devem estar assustados – não entendem qual é a nossa. Eu com meu chapéu de índio e bigode de mexicano, Mitch com sua jaqueta de conto de fadas e Noel com seu chapéu com faixa de leopardo, seus óculos e seu sotaque. Boa noite pra todo mundo.

21 de março. Hoje tocamos em Rochester, N.Y. Que cidade estranha... Pois é. Duas garotas vieram até meu quarto, Heidi e Barbara. Pessoas incríveis. Fizemos uma apresentação hoje à noite. O sistema de som, uma porcaria... auditório ruim... público paciente, mas eu meio que perdi a cabeça com a coisa toda. Registrei o show com um gravador. Depois do show vamos para a casa de uma garota com material para festa. Lá fora, alguém é espancado por uma gangue de motoqueiros. Passei a noite num quarto do Rochester Tigers. Ok.

22 de março. Hoje, estamos em Hartford, Connecticut. Na Suécia, eu tinha um diário bonito – que acabei perdendo, é claro. Hummm... O que será que a Catherina está fazendo agora? Tenho que ligar logo para ela, antes que ela vá para a Suíça. Ela é a única coisa real a que posso me agarrar. Melhor telefonar logo. Que bonito o meu quarto. Comprei mais filme, fita etc.

Acabei de chegar do show. Foi terrível! Estavam adorando. O diretor de palco desligou a energia bem no meio da apresentação. Foi isso que me deixou deprimido. Vou encher a cara. Vamos ver... onde está aquela garrafa... Hummm...

23 de março. Bom, na estrada nós todos enfrentamos os maiores extremos climáticos, de sol a nevasca, neblina e tudo o mais. Estamos em Buffalo agora. Fizemos um show. Maravilha. As garotas vieram... Ah, não... tenho que pensar na Catherina e compor minhas músicas. Boa noite a todos.

26 de março. Eu já havia tocado em Cleveland, com Joey Dee. Essa turnê é uma roda-viva. Amanhã é Muncie, Indiana, e depois algum lugar em Iowa.

28 de março. Tocamos em Cincinnati. Comprei uma Jazzmaster nova e um amplificador para os ensaios. Essa guitarra é para as gravações.

29 de março. Uau! Estou chapadaço neste quarto de hotel com Mitch. O show? Ah, cara, foi bárbaro...

Abril. Vamos nos atrasar de novo, e Mitch ainda não desceu do quarto. Conheço ele há um ano e meio e ele nunca chegou na hora. A impontualidade dele é uma doença crônica.

Estou adorando essa turnê, a não ser pelo fato de que detesto turnês, se é que você me entende. Curto fazer shows em cidades diferentes, é claro, mas os hotéis, os serviços ruins, a dificuldade quando tudo o que você quer é uma comidinha simples na hora da fome. E nesse ramo não existe isso de vida pessoal ou privada. Todo mundo precisa de cinco ou dez minutos diários para si mesmo. Depois de trabalhar por dezoito horas, tudo o que a gente quer é fazer uma refeição sossegada em algum lugar. Mas tem sempre uma garotada querendo autógrafos e fotos ou alguém olhando para você esquisito, sussurrando e tal. Então, é bastante natural ficar complexado com isso. Eu não posso me divertir que nem todo mundo.

A vida na estrada é muito aborrecida. Tem vezes que me aborreço comigo mesmo e com a música. Sabe, o que se pode fazer numa turnê? As pessoas ficam gritando pelas mesmas velhas músicas de sempre. Então, o jeito é tocar o que o povo pede, em vez das coisas novas que você quer explorar.

É claro que essa garotada quer mesmo é ouvir o que já gravamos. Eles já ouviram a gravação, mas, mesmo assim, querem nos ouvir tocar a música exatamente como no disco. Daria no mesmo se a gente trouxesse uma caixa cheia de fitas para o palco, ou se eles fossem para casa, pusessem fotos nossas na parede e tocassem o disco! Ao vivo, tocamos diferente. Dois shows por noite não é mole, e tocar sempre as mesmas coisas acaba sendo uma prisão. Fica enjoado à beça. Então, o que a gente faz é começar a improvisar no palco. Assim fica mais divertido. A solução é essa. Às vezes, uma música de três minutos pode se estender por dez.

Tocamos o que estamos sentindo, quem só escuta nossos discos nunca vai nos conhecer de verdade. Nunca daremos conta de expressar todos os nossos sentimentos. É somente assistindo aos nossos shows, em que cada ato é espontâneo e diferente, que se pode entender qual é a nossa.

[Em abril de 1968, com a turnê ainda em curso, o Experience começou as sessões de gravação de *Electric Ladyland*, na Record Plant, em Nova York.]

Os recursos disponíveis nos estúdios da Inglaterra não se comparam com o que eles têm aqui na América. É por isso que os discos de lá soam melhor, a sonoridade mais original. Até as limitações têm a sua beleza, porque fazem as pessoas escutar com atenção. Os engenheiros lá são mais criativos. Fazem coisas fantásticas, que lembram até a forma como lutaram na Segunda Guerra Mundial. É tudo muito positivo, o clima, a engenharia, a coisa toda. Lá, estar com um engenheiro é estar diante de um ser humano. É estar com alguém que está fazendo seu trabalho.

Aqui na América, os engenheiros não estão nem aí para você. São tão máquinas quanto os gravadores com que trabalham. Dá para sentir que falta o ser humano, que o estúdio só está interessado na conta, nos 123 dólares por hora. Não tem clima, não tem nada. Mas nem sempre é assim. Na Record Plant temos um cara bom. Ele é bom de bola. Foi a primeira vez que gravamos direito por aqui.

Eu queria fazer de *Electric Ladyland* um álbum duplo, mas foi dureza. Os produtores e as gravadoras não querem isso. Eu estaria disposto a gastar até o último centavo no disco se achasse que estava bom o suficiente. E é o que vou fazer, eles vão ter que colaborar!

Nós tínhamos tantas músicas boas, é por isso que eu queria um álbum duplo. Não sei se eram boas do ponto de vista comercial, mas o tempo estava passando, nosso som estava mudando e havia essas canções que ninguém tinha escutado. Você lança um LP simples e espera seis meses para lançar mais um single, que já vai ter envelhecido. Estamos tentando dar o máximo de nós de seis meses atrás até hoje. Porque estamos em constante evolução.

Electric Ladyland é diferente de tudo o que fizemos antes. De vez em quando, o disco é meio "electric funk", mas tem outras músicas que vão na direção oposta, fantasia total. A gente não tem um lado só, as gravações às vezes também dão vazão a esses outros lados. É como dizer a alguém algo duro, mas sem querer dar a impressão de dureza demais. É aí que entram as músicas de fantasia.

Há quem pense que não sabemos do que estamos falando, mas basta atentar para a faixa anterior e para a seguinte. O disco não é uma mistura feita de qualquer jeito. Cada pequeno detalhe que se escuta significa alguma coisa. Não digo que seja uma maravilha, mas é o Experience. Algumas faixas passam uma sensação de brutalidade, de dureza. É parte de nós, uma outra parte de nós.

I want to show you different emotions,
I want to ride through
The sounds and motions,
Electric woman waits for you and me.

Good and Evil lay side by side
While electric love penetrates the sky

I want to show you...
I want to show you.*

Algumas dessas garotas sacam mais de música do que os garotos. Alguns as chamam de groupies, eu prefiro o termo "Electric Ladies". O meu álbum *Electric Ladyland* é todo sobre elas. Começa com uma pintura sonora de noventa segundos que representa os céus. É um retrato do que acontece quando os deuses fazem amor – ou seja lá o que for que os deuses fazem para passar o tempo. Sei que os críticos vão cair em cima disso, então colocamos logo no começo, assim podemos seguir adiante.

As coisas que escrevo são só um choque entre realidade e fantasia. É preciso usar a fantasia para mostrar faces diferentes da realidade. Não estamos jogando nenhum joguinho, tentando fundir a cuca do público nem nada disso. "1983", por exemplo, serve para afastar a mente do que está acontecendo hoje, mas sem fugir completamente, como alguns podem fazer com certas drogas e tal...

Hooray, I awake from yesterday,
Alive, but the war is here to stay
So my love, Catherina, and me
Decide to take our last walk through the noise to the sea
Not to die but to be reborn
Away from lands so battered and torn
Forever, forever.

Oh say, can you see it's really such a mess,
Ev'ry inch of earth is a fighting nest
Giant pencil and lipstick tube-shaped things

---

* De "Have You Ever Been (To Electric Ladyland)": "Quero que você veja emoções diferentes,/ Quero viajar pelos/ Sons e movimentos,/ A mulher elétrica espera por você e por mim.// O bem e o mal deitam-se lado a lado/ E o amor elétrico penetra o céu/ Quero que você veja.../ Quero que você veja."

Continue to rain and cause screamin' pain
And the Arctic stains from silver blue to bloody red,
As our feet find the sands and the sea
Is straight ahead, straight up ahead...

Well, it's too bad that our friends can't be with us today,
Well, it's too bad. "The machine that we built would never save us," that's what they say.
That's why they ain't coming with us today.
They also said, "It's impossible for a man to live and breathe underwater."
Forever was their main complaint.
And they also threw this in my face, they said,
"Anyway, you know good and well it would be beyond the will of God,
And the grace of the King," Grace of the King.

So my darling and I make love in the sand,
To salute the last moment ever on dry land.
Our machine, it has done its work, played its part well,
Without a scratch on our bodies we bid it farewell.
Starfish and giant forms greet us with a smile,
Before we go under we take a last look at the killing noise
Of the out of style, the out of style... out of style.

So down and down and down and down and down and down we go,
Hurry, my darling, we mustn't be late for the show.
Neptune champion games to an aqua world is so very dear
"Right this way!" smiles a mermaid, I can hear Atlantis full of cheer,
Atlantis full of cheer, I can hear Atlantis full of cheer.*

---

* De "1983 (A Merman I Should Turn to Be)": "Hurra, eu desperto de ontem,/ Vivo, mas a guerra veio para ficar./ Então meu amor, Catherina, e eu/ Decidimos dar nossa última volta atravessando o ruído até o mar/ Não para morrer, mas para renascer,/ Longe de terras tão arruinadas./ Para sempre, para sempre.// Diga, você vê quanta desordem?/ Cada palmo de terra é um campo de guerra./ Continuam a chover os lápis gigantes e essas coisas em forma/ De batom que causam gritos e dor./ E o Ártico azul e prata se

Algumas faixas são barulhentas, estrondosas, extravagantes, mas tudo o que fazemos é gravar os canais de guitarra e acrescentar um pouco de eco aqui e ali. A bateria ou a guitarra podem dar um giro para um lado enquanto o eco vai na direção oposta – é o que chamamos de "eco panorâmico".

Usamos os mesmos recursos que todo mundo usa, mas com imaginação e bom-senso. Em "House Burning Down" fizemos a guitarra soar como se estivesse pegando fogo. Está sempre mudando de dimensão e atravessando tudo. Para benefício do disco, tudo o que queremos é levar o ouvinte para algum lugar – até onde o disco possa ir.

Em "Voodoo Chile" nós simplesmente abrimos as portas do estúdio e todos os nossos amigos apareceram depois das jam sessions. Temos Steve Winwood numa das faixas. Al Kooper está em outra, mas o piano dele quase não se ouve. Aconteceu de ser assim, o piano está lá para ser sentido, não ouvido. Muitas das minhas músicas acontecem ali na hora. Tudo começa com algumas notas escritas num pedaço de papel, e, quando chegamos ao estúdio, fazemos a melodia e um monte de gente dá seus pitacos sonoros. É gratificante trabalhar assim. Não queremos nada planejado demais.

---

tinge de vermelho-sangue,/ Quando nossos pés encontram a areia e o mar/ Vamos em frente, vamos seguir em frente...// Olha, é uma pena que nossos amigos não possam estar com a gente hoje,/ Olha, é uma pena. 'A máquina que construímos nunca nos salvará', é o que dizem./ E é por isso que não estão vindo com a gente hoje./ E disseram também, 'É impossível para um homem viver e respirar debaixo d'água'./ O para sempre era o de que mais reclamavam./ E me jogaram isso na cara dizendo,/ 'Aliás, você conhece Deus e sabe que isso estaria para além da vontade Dele,/ E da graça do Rei', Graça do Rei.// Então minha amada e eu fazemos amor na areia,/ Para saudar o último momento de terra seca./ Nossa máquina fez o seu trabalho, cumpriu bem o seu papel,/ Sem um arranhão em nossos corpos nós nos despedimos./ Estrelas-do-mar e formas gigantes nos recebem com um sorriso,/ Antes de submergir damos uma última olhada nesse ruído insuportável/ Do que já virou passado, virou passado... virou passado// Então vamos descendo, descendo, descendo, descendo, descendo e descendo,/ Depressa, querida, não podemos nos atrasar para o show./ Os jogos de Netuno são muito apreciados no mundo aquático/ 'Por aqui!', sorri uma sereia, e dá para ouvir Atlântida toda aplaudir,/ Atlântida toda aplaudir, dá para ouvir Atlântida toda aplaudir."

Repetimos "Voodoo Chile (Slight Return)" umas três vezes, porque queriam nos filmar no estúdio. "Façam como se estivessem gravando, garotos", uma daquelas cenas, sabe. Então: "Tudo bem, vamos tocar isso em mi. Agora, um, dois, três", e lá fomos nós.

Com exceção de "Watchtower" e "Burning of the Midnight Lamp", foi tudo gravado nos estúdios da Record Plant, em Nova York. "Watchtower" foi gravada na Inglaterra, para ser um single. O arranjo é nosso. Nesse solo de guitarra, usamos vários tipos de som, slide, wah-wah e também o tradicional.

Com a gente, não tem essa de tocar a mesma música que todo mundo, e, se for para tocar a música de alguém, não tem que ser necessariamente uma cópia. Uma das músicas é do Noel. Mitch e ele cantam esse rock inglês chamado "Little Miss Strange", mas a maior parte das músicas é minha.

Antigamente eu pedia para o produtor abafar minha voz na fita. Eu a achava tão ruim. É que os critérios da minha avaliação estavam errados. Meu canto hoje se baseia em sentimentos reais e pensamentos de verdade.

Foi escutando o Dylan que aprendi isso. Tecnicamente, a voz dele não vale nada, mas ele é bom porque canta aquilo em que acredita. Os sentimentos verdadeiros são a única qualidade que vale a pena buscar numa voz.

Sinto que "All Along the Watchtower" é algo que eu poderia ter feito, mas nunca consegui. Dylan muitas vezes me provoca esse sentimento. A cada vez que toco "Like a Rolling Stone" me sinto tão bem, é como se tirasse alguma coisa da mente.

[Em maio de 1968, ainda durante o processo de gravação e mixagem de *Electric Ladyland*, o Experience foi à Itália para uma série de concertos europeus.]

Vou voltar a Roma. Adoro essa cidade incrível. Amanhã encerramos nossa turnê italiana. Então vou para Nova York, onde fico um dia, para assinar um contrato. Em quatro dias estaremos na Suíça, depois, férias na Espanha. Estamos mesmo precisando, estamos simplesmente esgotados.

Não podemos continuar nesse ritmo por muito tempo. Às vezes sinto que nossa época está ficando para trás. Acho que isso está acontecendo agora. Penso que as pessoas estão ficando cansadas da gente. Tive alucinações terríveis, de todo tipo. Voltamos dos Estados Unidos e ouvimos: "Lá vêm esses três desgrenhados de novo!"

[A maior parte do mês de junho foi passada na Record Plant, terminando *Electric Ladyland*. Só em meados de julho foi que Jimi teve alguns dias de férias na Espanha (Maiorca). Em 1º de agosto o Experience começou mais uma turnê americana.]

TRECHOS DO DIÁRIO

1º de agosto. O tempo está ótimo aqui em Nova Orleans. A comida é ok. Está tudo pegando fogo – mas um fogo do bem. Dá para imaginar a polícia sulista ME protegendo? Nós poderíamos transformar a América! O show foi ótimo. Deixei a plateia ligada com uma música pesada, voltei ao hotel, fiquei chapado e fiz amor com "Pootsie", uma loura sulista ALTA.

2 de agosto. Bom, estamos de volta e as coisas começam a mudar – San Antonio, TEXAS. Descendo a rua, a uns três quarteirões do hotel, está a Exposição Mundial. Espero conseguir dar uma passada lá.

7 de agosto. Nova York outra vez. Linda estava no Salvation, de branco e dourado. Ela me ama. Ela é bonita. Ela me ama. Amanhã não estará mais aqui, mas ela nunca vai embora.

Não demorou para que Mitch e Noel quisessem largar a turnê e voltar para casa. Nossa música está ficando feia, mas esta é uma época feia. Não vivemos nos tempos do "Danúbio azul", não é? Há toda essa violência nos Estados Unidos hoje. Tocar no Meio-Oeste, em Cleveland ou Chicago, por exemplo, é como estar numa panela de pressão, esperando a tampa saltar. Em Nova York, a violência é pra valer. A música pode soar barulhenta e crua, mas é isso o que está no ar neste momento, não é?

Para mim, tocar no Sul é um pouco mais legal do que tocar no Norte. No Texas é bom. Não sei o motivo – talvez seja o clima. Nova Orleans é ótimo, o Arizona é fantástico. Utah? Bom, quando descemos do palco, é um outro mundo, mas o público é ótimo. Quando tocamos lá, eles estavam prestando a maior atenção, estavam todos sintonizados, de alguma forma. Muita coisa depende da plateia.

[17 de agosto, auditório municipal de Atlanta.]

Eu realmente não estava em condições esta tarde, estávamos muito cansados. Cansadíssimos, para falar a verdade. Saímos do avião direto para cá. Tivemos uma meia hora de tempo livre. É como a hora do recreio na escola.

O primeiro show foi uma tortura. Um suplício. O público queria ver chamas e eu estava tentando chegar até eles pela música. Quem quer passar oito dias por semana sentado num avião para chegar e ver a cara das pessoas dizendo: "Você vai tocar fogo na guitarra hoje?" Que merda é essa?

Tocar me diverte. É a melhor parte da coisa toda. Mas a gente tem que lidar com pessoas dizendo: "Bom, o que esperamos é que você seja um animador, então, você tem que nos divertir, nós compramos seus discos, nós fazemos tudo isso por você." Pensam que pertencemos a eles pelo resto da vida. Quem iria querer passar por tudo isso? O público pode fazer picadinho de um grupo dependendo da maneira como o trata. Eles espremem até a última gota.

O sucesso não é uma coisa boa. Ele prejudica o meu trabalho. É por isso que *Electric Ladyland* ainda não foi lançado. A previsão era de ficar pronto em 21 de julho. Mesmo assim, há uma diferença entre se sustentar fazendo seus próprios shows e ficar sempre naquele velho esquema, acompanhando caras como Little Richard e King Curtis.

[1º de setembro, Denver, Colorado.]

> Foi divertidíssimo tocar ao ar livre em Red Rocks. O público nos assiste do alto. Pelo menos eles conseguem ouvir alguma coisa. Fica muito difícil quando a gente sabe que as pessoas não vão escutar nada. É assim que tem que ser, um teatro natural ao ar livre, onde cabem 100 mil pessoas. O Grand Canyon ou o Central Park. Eu queria que tocássemos mais vezes do lado de fora, porque o ar tem um efeito sobre os sons. É terrível ter que contar sempre só com o Madison Square Garden, porque não é um lugar bom para o rock de verdade. Então, a gente tem que ir aos clubes pequenos para ter os ouvidos estourados. Acho que deviam construir edifícios especiais para música eletrônica barulhenta, assim como constroem prédios especiais para restaurantes e hotéis.

[7 de setembro, Vancouver.]

> Meu pai, irmãos e irmãs, minha avó com o namorado e meus primos estavam lá esta noite. A única oportunidade que tenho de vê-los é quando toco aqui. É só a segunda vez, em uns oito anos. Queria dar um carro novo aos meus pais, mas acho que eles não iriam aceitar. Acho que são muito orgulhosos.

Em uma turnê como essa, mal dá para distinguir um dia do outro. Passa uma semana e não acontece nada de diferente. Às vezes, tenho a sensação de que estou ficando mecânico demais. Temos tocado "Purple Haze", "The Wind Cries Mary", "Hey Joe", "Foxy Lady", que para mim são músicas incríveis, mas já são dois anos tocando as mesmas coisas. Sei que precisamos mudar algo, mas não sei como fazer isso. Acho que essa estagnação ainda vai acabar nos matando.

Os produtores nos veem como máquinas de fazer dinheiro e não têm confiança na gente. É um mundo cão. Eu sempre sei diferençar quem está sendo artificial e quem faz música de verdade, quem se importa com a música e com o que os músicos estão fazendo. O problema é que, nesse negócio, o que não falta é gente artificial. Eles farejam a grana e nos mandam seguir naquela direção até que nem nós nem o público aguentamos mais, aí eles vão em busca de alguma outra coisa. É por isso que os grupos se separam – eles ficam simplesmente esgotados. Depois de algum tempo, os músicos querem cair fora, para não se perder na roda-viva.

Estou tão cansado que poderia parar, mas só o que me relaxa é pensar em música. Nada mais me motiva. Dentro da minha cabeça, a música nunca para de tocar. Às vezes meu cérebro chega a latejar e as paredes começam a girar. Sinto que estou ficando louco. Daí vou para as boates encher a cara. Cara, fico um verdadeiro paralítico.

Mas é o que me salva...

O JUKEBOX MORRE, as luzes se apagam, o chão de serragem levou minha última bebida. A embriaguez faz de bobo meus olhos e quase impede meu cérebro de pensar. A luz das velas no meu anel, na minha mão, que quase não parece mais ser minha...

> *O bar está fechado, acho que vou voltar para meu quartinho de veludo vermelho no porão. A buzina de um carro interrompe meu cambalear, chamam meu nome, por um segundo ou dois não sei o que pensar. Olha, se não é minha velha amiga, diz um risinho de dentro do carro. Procurei você por toda parte. Minha memória falha e me rouba o sorriso e meus cumprimentos não chegam a este homem a quem cedi pela primeira vez já faz um bom tempo. Muita coisa mudou e eu continuo andando em direção ao quartinho de veludo vermelho no porão...*

Nem sei se tenho amigos ou não. Quer dizer, os caras do grupo e tal, e Chas Chandler e Gerry Stickells, o gerente da turnê. O apelido dele é Mamãe Ganso. Meus amigos são as pessoas que me fazem acreditar em mim mesmo.

Passo quase o tempo todo só fazendo músicas e tal, não tenho muito contato com as pessoas. Elas agem como esses porcos que mandam nesses lugares, nesses países. Para elas, o status é tudo. É por isso que tem gente passando fome, porque os seres humanos não souberam definir suas prioridades.

Fico louco quando ouço falar de gente morrendo em guerras ou guetos. Às vezes me dá vontade de mandar o mundo se foder, mas não consigo, não é da minha natureza. E não posso deixar que percebam isso, porque não é uma influência boa para ninguém. Às vezes as pessoas me estressam tanto. Elas não me inspiram, a não ser pela inspiração negativa para músicas como "Crosstown Traffic", porque é assim que elas se colocam diante de mim, é assim que elas se apresentam.

You jump in front of my car when you know all the time
Ninety miles an hour, girl, is the speed I drive.
You tell me it's alright, you don't mind a little pain,
You say you just want me to take you for a drive.
You're just like crosstown traffic,
So hard to get through to you, crosstown traffic
I don't need to run over you, crosstown traffic,
All you do is slow me down,
And I'm tryin' to get on the other side of town.
I'm not the only soul who's accused of hit and run
Tire tracks all across your back,
I can see you had your fun!
But darling, can't you see my signals turn

From green to red,
And with you I can see a traffic jam straight up ahead.
You're just like crosstown traffic
So hard to get through to you, crosstown traffic,
All you do is slow me down,
And I got better things
On the other side of town.*

Gosto de tratar as pessoas direito até que elas aprontem alguma comigo. Nos dias de hoje, podemos ser terrivelmente sinceros, mas isso tende a despertar algo de muito ruim nas pessoas. Meus olhos são muito ruins, e pode acontecer de eu não enxergar alguém numa boate. A pessoa fica toda estranha e diz: "Ah, agora que ficou importante você não fala mais comigo." E eu digo: "Oi. Eu estava distraído pensando. Desculpa." Porque eu passo muito tempo sonhando acordado.

Não me acho uma pessoa difícil. Às vezes fico meio fechado e calado, mas é porque estou pensando na minha música. Minha cabeça está cheia de notas, e se eu abrir a boca elas morrem. A ideia que fazem de mim é errada. Acham que estou sendo mal-educado. Não é nada disso, mas tenho que admitir que, depois de um tempo, já não me importo mais com o que pensam de mim.

---

* De "Crosstown Traffic": "Você se joga na frente do meu carro quando você sabe muito bem,/ Garota, que eu ando a mais de cem./ Você diz que tudo bem, que pode aguentar um pouco de dor,/ Você diz que só quer dar uma volta comigo./ Você é como o trânsito da cidade,/ Com você é tão difícil avançar, trânsito da cidade/ Eu não preciso atropelar você, trânsito da cidade,/ Você só faz me atrasar,/ E eu estou tentando chegar ao outro lado da cidade. // Eu não sou o único acusado de atropelar e fugir/ Suas costas estão cheias de marcas de pneu,/ Dá pra ver que você se divertiu!/ Meu bem, você não viu meu sinal mudar/ Do verde para o vermelho?/ E com você eu já estou vendo um engarrafamento logo ali em frente./ Você é como o trânsito da cidade/ Com você é tão difícil avançar, trânsito da cidade,/ Você só faz me atrasar,/ E eu tenho coisa melhor pra fazer/ Do outro lado da cidade."

Acho que poderia viver sem ninguém. Na verdade, às vezes preferiria estar sozinho. Gosto de pensar. Cara, sou um pensador. Chego a me perder em meus próprios pensamentos musicais. Só que, depois de pensar demais, tenho que sair para o meio das pessoas de novo.

[5 de outubro, Honolulu.]

> Que lugar. Passei alguns dias maravilhosos aqui no Havaí. Tantas garotas. Arrebentei meu carro a 160 quilômetros por hora numa zona onde o limite era de oitenta quilômetros por hora. Fiquei bem machucado, e com a cara arranhada. Tenho vivido meses de piração.

[10 a 12 de outubro, concertos e gravação em Winterland, San Francisco.]

> Foi o máximo. Vamos aproveitar uma ou duas músicas, talvez três. Mas eu dei umas desafinadas. Da forma como eu toco, a guitarra pode perder a afinação de repente, então tenho que tocar uns 30% menos por três ou quatro segundos para recuperar a afinação. É algo que pode até passar despercebido.

Lá pela metade da primeira música já dá para saber o que esperar de um show. É natural tentar tocar um pouco melhor quando o público passa um sentimento legal. Plateias indiferentes também não me incomodam muito. Não é por isso que não vou tentar dar uma sacudida neles. É uma maravilha quando a gente toca e o público fica em silêncio. Significa que estão prestando atenção. De vez em quando tem uns porquinhos guinchando lá no fundo, mas eu não fico pensando nessas coisas. Só penso no sentimento. É como se, durante uma hora e meia, todos os espíritos estivessem unidos. É assim que deveria ser. Isso não combina com conversas e gritos, não é?

[Jimi passou o resto de outubro de 1968 nos T.T.G. Inc. Sunset-Highland Recording Studios, Hollywood, Califórnia. Em novembro, voltou para Nova York e fez uma série de shows na Costa Leste.]

No momento, quando se trata de tocar, prefiro os clubes mais fuleiros. Adoro uma boate com cheiro de suor, empoeirada e sebenta. É em lugares assim que conseguimos nos conectar com a plateia. Com essa coisa toda de ficar a 3 mil quilômetros do público, acabo não sentindo nada.

O que dá para fazer nos Estados Unidos, e especialmente em Nova York, é juntar um pessoal e sair para tocar em algum canto. O que eu mais curto hoje são essas jams, porque todo mundo quer criar um pouco de música. O mundo dos clubes é tão informal. As coisas não têm que ser oficiais o tempo todo. É só chegar, esperar sua vez, subir ao palco e botar para quebrar. É como trabalhar numa oficina. É bom suar.

Lembro que, às vezes, até os amplificadores e as guitarras transpiravam. Parece que quanto mais suor, melhor.

É como se estivéssemos todos derretendo e nos misturando! O som era como uma porrada no peito do público. Eu curto isso! *Água e eletricidade!* Ser músico é isso. É para isso que a gente vive.

Tem muita gente hoje que não sabe fazer uma jam. Não tocam juntos, não pensam no outro. Improvisar é isso, é tocar com todo mundo. É meio que fazer amor uns com os outros musicalmente, ou como pintar um quadro juntos. Depois de tocar um pouco, a gente começa a sentir o fluxo da música, as mudanças de tom, o tempo, os intervalos. Até que chegamos num entrosamento maior do que seria possível depois de semanas trabalhando numa gravação. Quando dá tempo de chegar nesse ponto, pode ser uma das coisas mais lindas.

Já temos nosso pequeno público cativo, o que é ótimo. Nós todos já passamos pelo mundo das bandas para meninas adolescentes. Ainda há uma demanda por bons grupos, mas a cena está se desenvolvendo numa direção mais jazzística, com caras de bandas diferentes sempre se juntando para improvisar. Somos como um bando de ciganos, vagando livres e fazendo o que temos vontade. Estamos tentando criar música de verdade e mandando para o inferno essa coisa imaginária.

Pode ser que o grupo só dure um álbum, pode ser que continue junto por um ano e pouco, mas, quando começarem aquela exuberância toda de improvisar juntos, não vão insistir mais. Como se partissem de um tipo de som e começassem a desenvolvê-lo até perder a alma. Até virar uma espécie de exercício técnico. Todos perdem o interesse, até que voltam para algo mais básico. O blues é básico. O mesmo vale para boa parte do country. Então, essas duas coisas estão na raiz de tudo.

[No final de 1968 circularam boatos de que o Experience estaria se separando.]

Não estamos nos separando – não, não e não! São tantos os rumores que correm. Isso já foi mais do que discutido. Já se falou até demais sobre como eu poderia seguir sozinho. Acontece que sem Noel e Mitch eu nunca teria chegado aonde cheguei com o Jimi Hendrix Experience. Sempre fiz questão de dizer que éramos um trio e que deveríamos ser reconhecidos como tal. No futuro, nosso grupo se chamará "Experience" apenas. Não é justo que todos os holofotes estejam sempre voltados para uma cara só.

O que precisamos agora é de um bom descanso. Mal tivemos um dia de folga desde que o grupo se formou, há dois anos. Nenhum de nós teve tempo para sentar e pensar sozinho. Podemos trabalhar um pouco menos, mas nossos discos serão melhores, porque teremos mais paz de espírito.

Sabe, a relação entre Mitch, Noel e eu é como um casamento. Pode ser que às vezes eles tentem me dizer algo e eu não entenda, isso é frustrante. Quem faz uma música quer que ela tenha tanto seu próprio toque pessoal quanto o do grupo. Então, vamos continuar tocando juntos, mas temos que dar a cada um de nós a chance de crescer dentro do grupo. Temos, todos três, nossos interesses individuais. Trabalhamos juntos no Experience, mas não estamos presos só a isso.

Gostaria de ver Mitch e Noel investindo no que os faz felizes. Seguir o próprio caminho é o que importa. Noel tem essa banda chamada Fat Mattress e quer fazer um rock mais inglês. Veja só! Rock inglês! Uma música pseudoblues-rock! Mitch está envolvido naquele lance de Elvin Jones. Está ficando um monstrinho da bateria. É ele que eu tenho medo de perder. Até me assusto com o peso que ele está ganhando lá atrás!

Ah, não se preocupe que eu não vou embora... vou continuar fazendo isso e aquilo. Não vou seguir carreira solo, só vai ser um pouco diferente. Quero fazer um álbum com uma superbanda, convidar gente como Clapton, Winwood e Mayall. Caras que eu curto de verdade. Mas vamos continuar com o Experience. Vamos ficar juntos até não querermos mais.

Room Full of Mirrors
SOLILÓQUIO

Esta sala está mesmo além da minha imaginação. É uma sala cheia de espelhos. Não tem porta, não tem janelas, nem mesmo um tapete onde eu pudesse vomitar meus outros pensamentos. Em cima, embaixo, à esquerda, à direita, à frente, atrás de mim, não vejo nada, só esta sala dentro de um espelho. E sendo esta sala toda só espelhos, é provável que eu possa ficar aqui dentro.

Tem um certo alguém que vem aqui às vezes, ele se parece um pouco comigo. Muito estranho. Eu nem mesmo o conheço, e ele traz os amigos e todo o meu mundo, todo o meu dia e todas as minhas noites. Ele muda milhões de vezes, ele se vira num círculo e me deixa completamente fora de mim. Ele me conta coisas muito, muito interessantes. Diz que eu sou ele e ele sou eu, e ainda: "Cara, você está mesmo precisando, e apenas grita, mas sua voz não é alta o bastante para gritar o que você quer gritar." Eu digo: "Cara, o que eu quero gritar?" E enquanto digo isso, os espelhos malditos esvaziam minha mente. Sinto como se minha mente estivesse pendurada num cabide. Onde está o meu amor? Meu amor aparece na minha imaginação, não para meus olhos, eu não consigo vê-lo. Estou desesperado para vê-lo.

Quero ter qualquer coisa a que me agarrar além de mim mesmo. Eu me dirijo ao mundo. O que o mundo tem a oferecer além de tapinhas nas costas, apertos de mãos, planos para o futuro? Ele diz: "Melhor virar esse disco. Botar para fora todos os sons que você tem na cabeça. É melhor gritar, é isso que dá algum alívio." Eu digo: "Olha, cara, eu já estou gritando. Meus gritos são raios de ácido, raios de velocidade, são raios de chá, de café, de leite, de cigarros. O que mais? O que mais?" Ele diz: "Quero ver seus amigos, grite os reflexos de seus amigos." E é claro que vou gritar. Há um milhão de leões presos no Grand Canyon. Grite, meu amigo. Deus, diga a esse idiota para dar o fora de mim. E ele diz: "Cara, grite seu amor de novo." E eu grito que nem um diabo. Amor! Diga algo. Mesmo que você não seja nada, porque eu agora estou sentindo que sou ainda menos que isso. Ouço outra voz vinda do espelho, eu agarro, quebro, despedaço e me frustro. Alguém me ajude. Alguém, por favor, me ajude! E ele diz: "Comece tudo de novo." Eu começo tudo de novo. Cara, eu não consigo nem distinguir meus pés da serragem no chão. Eu consigo enxergar através dela.

É, irmão, eu consigo enxergar através dela.

CAPÍTULO SETE

(*Janeiro de 1969 – Junho de 1969*)

ALL ALONG THE WATCHTOWER

Um músico, quando tem uma mensagem, é como uma criança ainda pouco manipulada pelo homem, cujo cérebro ainda não traz muitas marcas de mãos humanas. É por isso que a música é muito mais pesada do que qualquer coisa que você já tenha sentido.

Prezados senhores,

Aqui estão as fotos que queríamos ver na capa do LP. Gostaríamos de nos desculpar pela demora para enviá-las, mas é que estamos trabalhando duro, gravando e fazendo shows ao mesmo tempo. Depois de usá-las, favor devolvê-las para Jimi Hendrix Personal & Private, a/c Jeffrey & Chandler, 27 East 37th St., NY, NY. Por favor, se for possível, encontrem um bom lugar e uma tipografia legal para as breves palavras que escrevi e chamei de… "Letter to a Room Full of Mirrors" na capa do LP. O esboço na outra página é só uma ideia inicial, claro… mas, por favor, não deixem NENHUMA foto ou palavra de fora. Qualquer outro desvio mais drástico destas orientações seria inapropriado à música e à fase atual de nosso grupo – e a música é da maior importância. E já temos problemas pessoais o bastante para termos de nos preocupar com esse layout simples mas eficiente.

Obrigado.

Jimi Hendrix

[*Electric Ladyland* foi lançado nos EUA em outubro de 1968. Permaneceu nas paradas por 37 semanas e chegou ao 1º lugar. Foi o primeiro álbum do Experience a chegar ao topo.]

TENHO UM CERTO orgulho de *Electric Ladyland* porque realmente assumi a responsabilidade até o final, então não posso negar que o álbum representa exatamente o que eu estava sentindo quando foi produzido. A produção saiu bem cara, acho que uns 60 mil dólares, porque estávamos no meio de uma turnê, o que é um desgaste tremendo. Não é fácil sair do estúdio direto para o avião, fazer um show e voltar direto para o estúdio de novo.

Estávamos sempre tendo que voltar ao estúdio e refazer o que já tínhamos feito na noite retrasada. Queríamos um determinado som. Nós o produzíamos, mixávamos e tudo o mais, mas, quando chegava a hora de preparar a matriz, eles não sabiam o que queríamos e, como era de esperar, estragavam tudo.

Temos um efeito sonoro tridimensional no disco que não se pode nem escutar porque não quiseram masterizar direito. Acharam que era falta de sincronia. Veja, na hora de preparar a matriz, para conseguir um som mais profundo, é preciso quase remixar tudo de novo, e 99% não fazem isso. Eles só dizem: "Olha, dá uma aumentada ali, cuidado para que a agulha fique no lugar, cuidado para não estragar nada."

Não pudemos finalizar o disco porque já estávamos numa outra turnê. Quando ouvi o resultado final, achei que algumas partes ficaram meio que borradas. Não exatamente um borrão, mas meio puxadas demais para o grave. Então, os engenheiros regravaram toda a fita original antes de prensar a versão britânica, e boa parte da sonoridade que existia no álbum americano se perdeu. Agora estou aprendendo mais sobre essas coisas para que eu mesmo possa cuidar disso.

Me importo muito com meu trabalho. Gravo coisas que acho boas. Só o que me incomoda é saber que os críticos e comentadores do pop ficam esperando um erro meu para cair em cima. O mundo pop é assim. Você lança um álbum de sucesso e os caras amam você, mas basta um fracasso e eles fazem um massacre.

É como uma corda bamba.

Parece que o novo álbum, *Electric Ladyland*, me criou um pouco mais de confusão com as pessoas. Tem gente no Reino Unido reclamando da capa inglesa. Cara, eu nem acho que eles estejam errados. Eu não fazia ideia de que iam usar fotos de dezenas de garotas peladas na capa. Eu não usaria essa imagem, mas a decisão não foi minha.

Por aqui, a foto foi só minha e dos rapazes. Primeiro eu queria essa bela mulher, a Veruschka. Ela tem uns dois metros de altura e é tão sexy que você só quer, *hummm*... Queríamos que ela nos conduzisse pelo deserto acorrentados. Mas como estávamos trabalhando, não achamos nenhum deserto, e como ela estava em Roma, não conseguimos tê-la. O que conseguimos foi aquela foto de nós sentados em cima da estátua de bronze da Alice no País das Maravilhas, no Central Park, com as crianças e tal.

Eu não sabia nada sobre a capa inglesa. Mas vocês me conhecem, é claro que eu curti. Só achei triste a forma como o fotógrafo fez as garotas parecerem feias. Algumas delas são bonitas, mas ele deve ter usado, sei lá, uma lente olho de peixe para distorcer a fotografia. Isso é cruel. Elas saíram mal. Mas a culpa não é minha. É desses outros caras, sabe, dessa gente que vai morrendo um pouco de cada vez. Gente ruim assim acaba morrendo, mais cedo ou mais tarde.

Tenho muito a oferecer ao pop, mas o pop não tem tanto para me dar em troca, porque quem manda no pop é gente que só fala no que é comercial. Essas gravadoras todas só querem singles, porque acham que dá mais dinheiro. Mas não dá para simplesmente chegar e dizer: "Vamos fazer um single." Não vamos fazer isso. Eu nos vejo mais como músicos, com mentalidade de músicos. Temos um LP todo planejado e, de repente, alguém resolve que "Crosstown Traffic", por exemplo, vai ser um single. Veja, *Electric Ladyland* tinha uma certa linha de pensamento, e a organização dos lados do disco tem sua razão de ser. É quase um pecado da parte deles pegar alguma coisa lá do meio dizendo que isso nos representa num dado instante. Sempre escolhem a música errada. Isso mostra que muita gente nos EUA ainda está por fora.

Aqui, ninguém é seu amigo. Entrei numa loja e vi um disco com o meu nome na capa. Quando escutei, descobri que foi gravado durante uma jam session que fiz em Nova York quando eu era músico de apoio de um grupo chamado Curtis Knight and the Squires. Estávamos apenas ensaiando no estúdio, eu não fazia ideia de que estavam gravando.

O álbum foi feito de fragmentos de fita, de pequenos confetes de fita. Alguém trouxe uma tesoura, recortou uns pedaços de fita e pôs lá. É só um monte de lixo. Eu só apareço numas duas faixas. Não sou eu cantando em "Hush Now". Foi o Knight quem dublou depois, tentando imitar minha voz. Na outra, "Flashing", eu só toco umas poucas notas, a guitarra estava desafinada e eu estava completamente chapado.

Cara, fiquei chocado quando ouvi o disco. Era apenas uma jam session. Aqui só querem saber de tramas, golpes e exploração. É um meio muito ruim. Tem sempre alguém querendo lucrar às custas dos outros. Nunca me avisaram que iam lançar aquela porcaria. Esse cara e eu éramos amigos. É isso que me chateia.

[Em 4 de janeiro de 1969, o Experience apareceu na TV, no *Lulu Show* da BBC. Jimi irritou Lulu e a BBC mudando bruscamente de "Hey Joe" para "Sunshine of Your Love", em homenagem ao Cream, que acabara de se separar.]

Era aquela velha história de ter gente nos dizendo o que fazer. Queriam que tocássemos "Hey Joe". Eu já estava cheio, então consegui a atenção de Noel e Mitch e passei para "Sunshine of Your Love". Quando tocamos ao vivo, ninguém pode nos interromper ou dizer o que temos que tocar, podem no máximo estabelecer um limite de tempo. Meu sonho é termos nosso próprio programa.

Imagina, não seria incrível tomar um estúdio como fazem em Cuba?! Nosso programa se chamaria *The Jimi Hendrix Show – Ou Outra Coisa*! E não haveria fumaça nas câmaras de gás enquanto estivéssemos no ar!

Temos planos de promover nossos próprios concertos no Royal Albert Hall em 18 e 24 de fevereiro. Serão dois shows nossos e vamos programar também alguns grupos legais. Queremos a nova banda do Jim Capaldi e o Spike Milligan. Queremos que ele seja o mestre de cerimônias. Ele é o meu tipo de comediante. Os americanos não conhecem o *Goon Show*. São obras-primas. São clássicos. São a coisa mais engraçada que já ouvi, tirando o Pinky Lee. Vocês se lembram do Pinky Lee? Eles são como um monte de Pinky Lees. Imagina juntar um bando deles. Eu era fã do Pinky Lee. Eu usava meias brancas.

[O Experience passou o resto de janeiro excursionando pela Europa, tocando na Suécia, na Dinamarca, na Alemanha, na França e na Áustria.]

É bom estar de volta a Estocolmo. Gosto da Suécia. Fiz tudo para que eles se conectassem com minha música, mas não deu certo. Não tocamos há tanto tempo que demora para entrar no clima. Fiquei desesperado. O pior de tudo eram os rostos sem vida me encarando da primeira fila.

Tocamos em Gotemburgo também e muita gente perguntou se eu não me sentia nem um pouco mal em tocar lá depois da confusão com a janela quebrada no ano passado. Dessa vez, ficamos em outro hotel.

Acho que os grupos de pop também têm direito à vida privada. Deveriam ser julgados pelo que fazem no palco, como cantores e músicos. A vida privada é problema deles, e ninguém deveria ficar sabendo muita coisa sobre isso. Não dá para esperar que os artistas sejam sempre santos. De qualquer modo, a garotada não é tão boba e influenciável quanto algumas pessoas pensam. Eles têm a cabeça no lugar. O garoto que faz algo errado para imitar algum ídolo pop provavelmente teria feito aquilo de qualquer maneira.

CARTA DE JIMI HENDRIX AO ESCRITÓRIO DE SEU EMPRESÁRIO,
QUARTA-FEIRA, 5 DE FEVEREIRO DE 1969:

As notas abaixo, em sua maioria, seguem no lugar de um desejado contato telefônico com a Inglaterra... É preciso cancelar a reunião do dia 10 devido a negócios exaustivos, porém muito importantes por aqui... Se o evento inglês do dia 24 no Albert Hall se confirmar, devemos, como você disse, ou abandonar ou repensar seriamente a ideia de ter três grupos diferentes para o dia 24 e ressaltar, por telefone, na Inglaterra, que devemos fazer todos os esforços possíveis para que o dia anterior ao concerto (AH, Inglaterra) fique reservado para os últimos ensaios privados antes da gravação. Talvez à tarde ou à noite, o horário que estiver disponível...

Listas: risque tudo o que não precisamos do Generation. O quanto antes, melhor.

É preciso ao menos mencionar que a entrevista com a *Rolling Stone* não será por telefone, mas em pessoa... De preferência com um gravador. Aliás, por favor me pergunte antes sobre coisas como entrevistas no futuro imediato e tenha em mente que é imprescindível gravar as entrevistas quando se trata de um artigo importante. Temos uma proposta do *Village Other* (jornal semanal, muito bom) para uma entrevista. Por favor, consiga que eles liguem, se possível, para marcar uma data antes que eu vá, ou ligue para eles.

Gravação: Albert Hall, 18 e 24 de fevereiro? Por favor, tente descobrir de uma vez por todas quem será o engenheiro de som. Importantíssimo, para ontem! Por favor, diga à Mercury Records para parar de criar caso sobre nomes e acordos de pagamento no que se refere ao álbum do Buddy Miles Express. Por favor diga a eles que tanto o grupo quanto o Emmy quanto eu estamos muito satisfeitos com a ideia.

Eu gostaria de ver uma estimativa das despesas pessoais (o mais exata possível) até o presente. E também de quanto cada um tem aproximadamente. Sei que eles devem conseguir tirar pelo menos uns cinco ou dez minutos hoje e responder por telefone ou enviar um envelope por mensageiro com uma estimativa do que está acontecendo... Para substituir horários e atrações no programa do dia 24, por favor, tentem agendar o Jethro Tull, com o figurino de Noel Redding (nem que seja por vinte minutos). Uma palavra mais do que definitiva do Noel sobre isso. Gostaríamos de tentar gravar no Albert Hall tanto no dia 24 quanto no dia 18. Possibilidade para o dia 24: Jethro Tull, Cat Mother ou Buddy Miles Express ou "Face" (checar com Roy Flynn, do Speakeasy).

Hoje à noite, eu gostaria de conferir o que temos a receber, como pôsteres, direitos de publicidade, direitos sobre discos, sobre textos etc.

Ah, sim, quase me esqueço: explique à Mercury (incluindo os contratos e quaisquer meios legais) que no devido tempo o novo LP do Buddy Miles Express será um dos maiores da gravadora e que todos nós (o grupo e eu) estamos trabalhando duro para isso, e seria bastante justo que eu fosse creditado e devidamente remunerado como único produtor. Se houver algum problema da parte da Ann Tanzy (é assim que se escreve?) quanto a que nome vai onde, ela pode muito bem ser creditada como supervisora do LP. Sei que um nome na capa de um disco pode parecer uma ninharia que não justifica uma disputa de egos, mas uma de minhas ambições é ser um bom produtor e avançar nessa área. Portanto esse é um dos principais motivos para querer meu nome lá. Quero terminar o LP todo, desde que ambos os lados estejam de acordo quanto à papelada e à atitude necessárias (a Mercury e nós). Se eu pudesse trabalhar com Buddy e o grupo sem ser impedido por esse fato – por esses jecas mortos de fome que querem ganhar sem dar nada em troca – e deixando Ann em seu devido lugar, eu bem poderia fazer umas músicas com Buddy... e é para esse lado que estou querendo ir... uma porcentagem dos direitos autorais, é claro.

Jimi Hendrix

[Os concertos no Royal Albert Hall em 18 e 24 de fevereiro de 1969 foram as últimas apresentações do Experience na Inglaterra.]

Hoje me sinto tão relaxado nos shows. Nossa música chegou a um estágio muito sólido – não no sentido técnico, mas no de que conseguimos sentir melhor a música, captar mais as coisas. A comunicação é uma maravilha. Se desafino, é só parar e voltar à afinação. É assim que eu gosto. Não é um show Flash Gordon, com tudo certinho e ensaiado.

Não sei ler música e tenho dificuldade para lembrar de um riff porque estou sempre querendo criar outras coisas. É por isso que eu erro tanto. Hoje todos querem mostrar que são músicos impecáveis, e isso não significa nada. O público está ficando bem mais esperto. Ninguém quer saber mais dessa música fabricada e embrulhada em papel-alumínio. Querem ouvir os melhores. Eu estava falando com uma garotada, adolescentes, e disse: "Quais são seus grupos favoritos?" Eles responderam: "Gostamos do 'Cweam', gostamos de vocês todos, todos os grupos." Uma beleza. A cabeça deles é outra, sabe?

HÁ ALGUNS ANOS, tudo o que eu queria na vida era ser ouvido. Hoje estou tentando descobrir a maneira mais inteligente de ser escutado. Não quero mais ser um palhaço. Não quero ser um astro do rock'n'roll. Sou só um músico. É por isso que hoje tocamos mais e nos movimentamos menos. Também não quebramos mais tanta coisa. Nunca mais queimamos nenhuma guitarra.

Essas coisas eram apenas pequenos detalhes acessórios, como glacê de bolo, mas o público começou a se interessar mais por elas do que pela música. Quanto mais a imprensa chamava a atenção para essas coisas, mais o público as desejava e mais nós evitávamos fazê-las. Você vê aonde isso vai dar? Não dá pra prostituir nossa própria arte. Isso não se faz.

Fiz metade dessas coisas porque me deu vontade na hora. Eu dizia "Que tal arrebentar uma guitarra hoje?", e me respondiam: "É, seria o máximo." E então eu desenvolvia uma fúria que fosse suficiente para fazer isso. Era divertido! Não seria legal se cada um tivesse um espaço onde pudesse se livrar de todas as inibições? Meu espaço era no palco. Mas você só pode surtar quando está a fim. Eu tinha muita vontade de surtar, mas não tenho mais. Se você faz isso toda noite, como eu fazia, acaba tendo um ataque cardíaco. Naquele ritmo, eu já estaria morto!

Sinto muita culpa quando dizem que sou o maior guitarrista do mundo. Não me importo com o que é bom ou ruim. O importante é como a gente se sente em relação ao que faz. Quem dera as pessoas tivessem um olhar mais verdadeiro e pensassem em termos de sentimento. Seu nome não significa nada. É o seu talento e o seu sentimento que importam. Quero distância de gente que está mais interessada em sua própria imagem egoísta do que em mostrar o outro lado da música.

Queremos despertar todos para tudo o que sabemos. Sempre se pode cantar sobre o amor e as diversas situações amorosas, mas hoje estamos tentando encontrar soluções para todos os protestos e discussões do mundo atual. Quando chegamos numa cidade, todo mundo espera de nós algum tipo de resposta para o que está acontecendo lá, é uma sensação boa, mas é também muito difícil. É por isso que tenho que viver a vida, tenho que ver tudo o que há de bom e ruim, para que então possa dizer o que descobri. Todo mundo sabe protestar, mas pouca gente é capaz de oferecer uma resposta satisfatória. Então, é isso que vamos tentar fazer.

Estava com saudades de Londres?
É ótimo estar de volta. É aqui que me sinto mais confortável, sinto que os ingleses são meus amigos. As garotas inglesas são simplesmente demais. Ontem eu estava caminhando, devia estar fazendo uns cinco graus abaixo de zero, mas elas continuavam usando minissaia. Sim, sentimos falta de Londres.

E que tal morar na casa de Händel?
Eu nem sabia que o apê era dele, só fiquei sabendo depois.

Tem um querubim de braço quebrado no telhado...
Isso é que é incrível. Ele voa mesmo com o braço quebrado.

Você tem algum interesse pela música clássica?
Ah, claro, é uma música bela, belíssima. Gosto de Händel e Bach. É mais como estudar em casa sozinho. Não é uma música para ficar escutando sempre com os amigos. Tem coisas que a gente precisa ouvir sozinho. Veja, músicas diferentes são para ser usadas de maneiras diferentes. Acho que a melhor hora para ouvir música clássica é quando o ambiente está bem silencioso ou quando sua mente está relaxada. Num momento propício aos devaneios, quem sabe...

Você gosta de rock clássico?
Cada um na sua. Numa outra vida, esses caras poderiam ter sido Beethovens ou algo assim. Mas estamos na era do rock'n'roll, então vão para o rock. Cada época tem sua música.

E de jazz?
É quando vou ouvir música na casa de alguém que escuto jazz. Na minha casa, nunca ponho discos de jazz. Para mim, jazz é um monte de sopros e

mais uma linha de baixo acelerada. Se tiver guitarra, eu gosto de escutar. Mas para tocar... não é o meu estilo. Gosto de jazz free-form, como o do Charlie Mingus e desse outro cara que toca todos os instrumentos de sopro, o Roland Kirk. Prefiro um som mais pra frente do que os sucessos do passado. Sabe quando eles chegam e ficam horas e horas tocando "How High the Moon"? Mas acontece que eu não entendo muito de jazz. O que eu sei é que a maioria desses caras está é tocando blues – isso eu percebo!

Você não tocou com Roland Kirk há pouco tempo?
Fiz uma jam com ele no Ronnie Scott's e curti à beça. Foi o máximo. Eu estava tão assustado! Que engraçado. Quer dizer, o Roland, aquele cara tira aqueles sons todos. Eu tinha medo de tocar uma nota que acabasse interferindo, mas acho que nos saímos muito bem. Ele falou que eu deveria ter aumentado o volume, ou qualquer coisa assim. Nós temos várias ondas, e acho que algumas estão no mesmo nível disso que o Roland Kirk está fazendo. Quem ler essa entrevista vai dizer "Esse cara só pode estar de brincadeira", mas eu acho mesmo que estamos fazendo as mesmas coisas. Quero muito gravar um disco com Roland Kirk. Ele é o mais belo ser humano vivo que toca jazz. E ele mal começou. Quando o ouvimos, dá para escutar muito do futuro. Dá para ouvir muitas das coisas que ele ainda vai fazer. Quer dizer, não necessariamente pelas notas, mas pelos sentimentos. É como correr pelo campo, um campo eterno de coisas belas, cara.

Como você vê o futuro da música pop?
Não sei. Eu não sou crítico, sabe? E não gosto da palavra "pop". Tudo o que ela significa para mim é Pilgrimage of Peace [Peregrinação da Paz].

Como você gostaria que descrevessem sua música, então?
Nós tentamos tocar música de verdade. Não tocamos blues, ainda que alguns pensem que sim. O que fazemos é uma mistura de blues, jazz, rock'n'roll e bastante barulho. Chamo nossa música de Música de Igreja

Elétrica, porque é como se fosse nossa religião. Não gosto da palavra "igreja", soa malcheirosa e suada demais – faz pensar em alguém ajoelhado no chão rezando –, mas vamos continuar usando até achar uma melhor.

Recentemente, um crítico italiano chamou você de Paganini da guitarra.
Paganini? Quem é esse? Ah, o maior artista do violino de todos os tempos. Isso me deixa extremamente feliz.

O sucesso o deixa feliz?
Tudo o que eu achava importante antes de ter um disco nas paradas continua tendo a mesma importância. Tentar entender as pessoas e respeitar seus sentimentos, não importa qual seja a sua posição nem a delas. As coisas bonitas continuam sendo as mesmas, o pôr do sol e o orvalho na grama. Nenhuma riqueza material vai mudar minha forma de pensar nessas coisas. Se você quer felicidade verdadeira, lembre-se dos dias mais felizes da sua infância. Você se lembra de quando brincar na chuva era divertido?

O sucesso mudou você?
Isso depende do que você entende por sucesso. Para mim, sucesso é dar o máximo, chegar ao auge. Bom, eu ainda não cheguei lá. Acho que ainda nem comecei de verdade. Estou sempre tentando melhorar cada vez mais, mas, enquanto continuar tocando, acho que nunca atingirei um nível satisfatório. Penso que estarei sempre em busca do sucesso.

Você foi aclamadíssimo pela crítica.
Faz parte do jogo do establishment. Enchem nossa bola e nos dão prêmios só para depois nos descartar. Mas não estamos aqui para colecionar prêmios. Estamos aqui para despertar as pessoas para o caminho certo, porque coisas estranhas estão acontecendo.

Você vai fazer mais shows na Inglaterra?
Por enquanto o show no Albert Hall é o último programado. Gostaria de tocar em outros lugares do país porque curto a Inglaterra, e tocar aqui, para

nós, é um acontecimento. Mas o problema é que estamos gravando mais agora e já temos uma turnê nos EUA agendada para abril e maio.

Há algum fundo de verdade nos rumores sobre sua aposentadoria?
Sabe, quando a gente é jovem, quase todo mundo tem uma coisa queimando por dentro, mas depois acaba se formando em direito e entra em sua gaiolinha de celofane. E tem o lance da família. Eu já quis entrar nessa algumas vezes. Já houve dias em que tive vontade de fugir para as montanhas, mas fiquei. Algumas pessoas são destinadas a ficar e transmitir mensagens.

Agora é hora de tomar um rumo um pouco diferente, passos em direção a um nível mais espiritual, através da música. Estamos muito concentrados no som. É um som muito duro, rude, primitivo, não necessariamente bom ou mau nem chapado. A sensação é de que você tem algo a tirar dali, é só deixar a mente viajar no som. É mais do que música. É como uma igreja, como um alicerce para os perdidos ou os que podem se perder.

É por isso que os garotos não se importam quando a gente leva quinze minutos se preparando para um show. Os caras chegam e vão preparar os instrumentos e ficam um bom tempo de costas para a plateia. Os garotos gostam... é como ver alguma coisa nascendo. Eles se tornam meio que pais da música.

Estamos fazendo de nossa música um novo tipo de bíblia, uma bíblia que se leva no coração, que dá uma sensação física. Tocamos numa altura inacreditável. Mas não é um barulho que fere – é um outro tipo de barulho que entra pelo peito.

O mundo está tão cheio de ideias e leis tacanhas e as pessoas vestem uniformes tão apertados que é quase impossível escapar. Subconscientemente, o que essa gente está fazendo é matar todos os lampejos que ainda têm.

Queremos fazer uma música solta e poderosa que atinja sua alma com força suficiente para abri-la. É uma espécie de terapia de choque ou de abridor de lata. Quem escuta fica hipnotizado e retorna a seu estado natural, que é positividade pura – é como esses baratos naturais que a gente tem na infância. E quando passa o efeito desse barato, o público enxerga com mais clareza, sente coisas que não sentia antes. É tudo muito espiritual. Menos quando os tímpanos entram na jogada!

Hoje tudo é eletrificado, portanto é pela eletricidade que a crença se transmite ao povo. É por isso que o nome "Igreja Elétrica" fica piscando. Quando dizemos que tocamos Música de Igreja Elétrica, todo mundo grita ou perde a fala.

A palavra "igreja" está muito identificada com religião. Para muitos garotos, a igreja não diz nada.

Quando eu era menino, me mandaram para a igreja e lembro que fui posto para fora, porque meu traje era impróprio. Eu estava de tênis e terno e me disseram: "Olha, isso é inadequado." Não tínhamos grana para mais nenhuma roupa, e mesmo assim me botaram para fora. A Igreja é uma instituição, nada mais, por isso que não há nada para eles lá.

Não me entenda mal, não quero impedir ninguém de ir à igreja, mas, enquanto eu não estiver fazendo mal a mais ninguém, não acho que eles possam me dizer como viver e o que fazer.

Acho que os seres humanos precisam acreditar em alguma coisa. As pessoas sentem necessidade de alguma orientação, de ter o que seguir, seja verdadeiro ou não.

Hoje, só acredito na música. A música vai abrir caminho porque é, em si mesma, espiritual. É como as ondas do mar. Não dá para separar uma onda perfeita e levar para casa. Ela está sempre se movendo. A música e o movimento são parte da raça humana. É o que mais eletrifica a Terra.

Nossa música é tão espiritual quanto ir à igreja. Queremos que seja respeitada por isso. O que queremos é lavar a alma das pessoas.

I see fingers, hands and shades of faces
Reaching up but not quite touching
The Promised Land.
I hear pleas and prayers and
Desperate whispers saying,
Oh Lord, please give us a helping hand.*

É evidente que as coisas vão mal por aqui, mas a ideia é recompor seu próprio eu. Na vida, a gente precisa de paz de espírito, que temos de procurar dentro de nós mesmos. Acho que todo mundo tem que acreditar em si mesmo. Penso que, de certa maneira, isso já é acreditar em Deus. Se existe um Deus e Ele fez você, acreditar em você mesmo também é acreditar Nele. Se você tem Deus dentro de si, você também é parte Dele. Isso não quer dizer que precisamos acreditar no céu, no inferno e em tudo o mais, mas sim que o que você é e o que você faz é a sua religião. Quando entro no palco e canto, é a minha vida toda lá. Essa é a minha religião. Sou a Religião Elétrica.

Minha guitarra é meu meio de expressão, e eu quero despertar o mundo. A música vem do ar. É assim que eu consigo me conectar com um espírito. Não dá para dizer por quantas vidas seu espírito passou, morrendo e renascendo. É como se minha mente voltasse ao tempo em que eu era um cavalo voador. De antes de todas as minhas memórias, vem a lembrança da música, das estrelas e dos planetas. Eu poderia ir dormir e compor quinze sinfonias.

---

* De "Somewhere": "Vejo dedos, mãos e sombras de rostos,/ Que tentam mas não conseguem tocar/ A Terra Prometida. / Ouço súplicas e orações e/ Murmúrios desesperados que dizem,/ Ó, Senhor, por favor estendei vossa mão."

Minha filosofia pessoal é minha música. É quase tudo filosofia numa forma muito nebulosa, porque ainda está em evolução. É como um bebezinho, que ainda nem começou a dar os primeiros passos. A música é toda a minha vida. Não há nada além de música e vida – é só. Elas correm tão juntas, é meio que um paralelo. E é esse o efeito que eu gostaria de ter sobre o público – se não num estado desperto, então talvez num estado de hipnose.

Comparar o mundo de lama cotidiano onde vivemos hoje com o mundo espiritual é como comparar um parasita com o oceano. Uma das formas de se aproximar do lado espiritual é encarando a verdade. Se pelo menos as pessoas não se concentrassem tanto nas coisas superficiais, poderiam encontrar o sentido real e a felicidade verdadeira. É por isso que o mundo chegou a esse estado, as pessoas deveriam se guiar menos pelas aparências e mais pelo sentimento.

[Em abril e junho de 1969, o Experience, então a banda mais bem paga do mundo, saiu em mais uma grande turnê americana.]

Houve um tempo em que o dinheiro era uma preocupação. Eu me preocupava em saber se estava recebendo tudo que me era devido. Eu queria grana para ficar tranquilo e fazer o que queria na vida. Queria grana para ter onde morar quando ficasse careca, sabe, quando esses cachinhos caíssem todos, quando essa merda toda caísse.

Todo mundo quer mais dinheiro. Mas tem gente com tanta fome de dinheiro que acaba se engasgando. Nunca estão satisfeitos, acaba virando um vício, como todos os outros. Aliás, o dinheiro é uma das piores drogas.

Ainda bem que eu só fumo!

Viajo, na maioria das vezes, de bolso vazio. Gosto de conhecer tipos diferentes de vida, de ricos e pobres. Se amanhã eu passar fome, vai ser só mais uma experiência. Mesmo assim, não me recusaria a dar dinheiro para quem estivesse na pior. Dinheiro não é só um pedaço de papel? Como uma certidão de casamento.

Acaba sendo muito fácil cantar blues quando isso dá tanto lucro. Porque o dinheiro já está saindo do controle. Hoje, muitos músicos pensam mais em grana e imagem do que na mensagem que querem passar. Têm a chance de ganhar uma bolada e dizem "Uau, que fantástico!", e perdem a si mesmos, esquecem da outra metade de si mesmos. E é por isso que se canta tanto blues. Às vezes, quanto mais se ganha dinheiro, mais se canta o blues.

Esse lance do dinheiro pode acabar transformando você num escravo do público, num zumbi, um pinguim. Seja como for, quem quer ser um grande ídolo pop sem vida? É aqui que a garotada acaba se desviando mais do que os próprios músicos, com todo esse negócio de fama, imagem e tudo o mais. É como um circo que talvez venha à cidade. "Uau! Veja só aquilo", sabe? E então elas veem você desaparecer e vão se alimentar da próxima coisa que estiver aparecendo.

A música é melhor agora e as pessoas nem percebem. Está bem na cara delas, e elas não sabem sequer como aceitar isso, porque precisam de artifícios e imagem para seguir a vida. Foi por isso que cortei o cabelo, por causa desse negócio de ser escravo do público. Cortei o cabelo curto para protestar.

[Durante essa turnê, membros dos Panteras Negras abordaram Jimi.]

Pediram que fizéssemos shows beneficentes para os Panteras Negras, pedido que me deixou muito feliz. Eu me senti honrado e tudo o mais, mas ainda não atendemos ao pedido. Mike Jeffery é que está cuidando dessas coisas, então não sei se os shows vão sair. Eu só quero continuar fazendo o que estou fazendo sem me envolver em questões raciais ou políticas. Sei que é um privilégio poder fazer isso, muita gente não pode. Nos Estados Unidos, você tem que assumir uma posição. Ou você é um rebelde ou é um cara tipo Frank Sinatra.

Quando eu era mais novo, fiz músicas de protesto bem duras. Não faço mais, porque tem um monte de coisas políticas acontecendo por aí e tenho que me afastar, senão vou acabar ficando aprisionado. Se eu tivesse algo a dizer, teria que dizer a todos. E teria que me envolver para valer antes de falar alguma coisa.

Não me sinto envolvido. Eu me sinto quase completamente perdido hoje. Às vezes não me encontro em quase nada. Lamento a situação das minorias, mas não me sinto parte de nenhuma. Estou do lado das massas e dos oprimidos, mas não estou aqui para dizer a eles o que fazer, porque já tentei isso antes e me ferrei um milhão de vezes. Então, hoje, estou do lado de quem possa cumprir essa tarefa.

No meu mundo, raça não é um problema. Não vejo as coisas em termos de raça, vejo gente. Não estou preocupado com negros nem brancos. Estou pensando no obsoleto e no novo. Não tem essa de cor agora, nem preto nem branco. As frustrações e tumultos de hoje têm motivações mais pessoais. Todos têm suas guerras internas, e vão formando essas coisas por dentro, que se manifestam como uma guerra contra os outros. São julgados enquanto julgam os outros em suas tentativas de conquistar a liberdade pessoal. Isso é tudo.

Não é que eu não queira saber dos Panteras Negras. É claro que, em certos aspectos, me sinto parte do que eles estão fazendo. Alguém tem que fazer alguma coisa, e é em nós que dói mais, é nossa paz e nossa vida. Mas eu não prego agressões, violência ou seja lá como você queira chamar isso. Não prego a guerra de guerrilha. Sou contra atos que não levam a nada, como jogar coquetéis-molotovs por aí ou quebrar vitrines de lojas. Principalmente no nosso próprio bairro.

Não sinto ódio de ninguém, porque isso só nos faz andar para trás. É preciso se acalmar e deixar esse sentimento passar. Tem gente sem pernas, cega, que foi à guerra. É preciso se compadecer delas e pensar que parte da personalidade elas perderam. Faz bem começar a ter pensamentos positivos. Faz bem já no momento em que se pensa. Na hora em que você começa a pensar em coisas negativas, já passa para a raiva, a agressividade, o ódio. Para viver em harmonia, temos que varrer essas coisas da face da Terra. E os outros também têm que entender isso, senão vão passar o resto da vida brigando.

Espero ao menos que minhas músicas encorajem quem está na batalha. Eu mesmo tive várias experiências, passei por várias barras e o que aprendo tento transmitir aos outros pela música, para que as coisas não sejam tão difíceis para eles. Estou fazendo uma música para os Panteras Negras que não fala de raça, mas do simbolismo do que está acontecendo hoje. Era para que eles fossem só um símbolo aos olhos do establishment. Era para ser uma coisa lendária.

Black is gold is pure
And the true kings of this earth,
So I say it's up to us to straighten out this mess.
We got to go through hell, and then
That's the last of this miserable test.

But the sun knows, as the wind blows,
And the fire grows
Towards the far shores, and the water foams,
To make steamed bones of all those
Who don't believe
That black is gold is the kings of this world.

Let's pray we all agree,
We've got to straighten out the family tree.
Life is for you and me together,
That's the way it was meant to be.

White man, watch your mouth,
Because our drums they face the south.

You better adjust your place in this world
Before your hair it starts to curl,
And the yellow, red, and black of this world
*Will tear your ass and soul apart.**

[Em 3 de maio de 1969, o Experience chegou ao Canadá para uma apresentação no Toronto's Maple Leaf Gardens. Todos haviam sido avisados para tomar muito cuidado com a rigorosa alfândega canadense. Mesmo assim, encontraram um jarro com papelotes de heroína e um tubo metálico com resíduos de haxixe na bagagem de Jimi.]

Sou inocente, completamente inocente. Deve ter sido uma armação, ou então foi só uma situação das mais chatas, porque não era nada disso. Se tem uma coisa que eu não entendo é como alguém pode se picar com uma agulha. Quando era mais novo, tive pneumonia e chorava toda vez que me davam uma injeção.

Seja como for, ninguém tem a menor noção do que sejam as drogas hoje. As ruas estão cheias de bêbados pedindo dinheiro e parece que ninguém liga. Tem gente que mataria por uma merreca para comprar bebida. Tem

---

* De "Black Gold": "Negro é ouro, é puro/ E são os verdadeiros reis dessa terra,/ Por isso eu digo que cabe a nós dar um jeito nessa bagunça./ Temos de descer ao inferno, e passar/ Pelo teste desse último tormento.// Mas o sol sabe, e o vento sopra,/ E o fogo cresce/ Em direção às praias longínquas, e a espuma das águas,/ Para cozinhar os ossos de todos aqueles/ Que não acreditam/ Que negro é ouro, são os reis do mundo.// Vamos rezar pela concordância de todos,/ Temos que reunir todos os ramos da família./ Você e eu juntos, é assim que se vive,/ É assim que tem de ser./ Homem branco, cuidado com o que diz,/ Porque nossos tambores estão voltados para o sul.// É melhor você ajustar seu lugar no mundo,/ Antes que seu cabelo comece a encrespar,/ Porque os amarelos, vermelhos e pretos desse mundo/ Vão separar sua alma do seu traseiro."

também grandes piqueniques onde cada um traz suas latas de cerveja e bebe até cair, sai de lá completamente entorpecido e só consegue pensar no quanto está chapado.

De uma coisa eu tenho certeza, não dá para colocar todas as drogas no mesmo saco. Há uma diferença enorme entre a erva e as drogas pesadas. E fumar um baseado é muito melhor do que beber. O fumo inclusive ajudou muita gente. Acho que, daqui a uns cinco a dez anos, a maconha vai ser legalizada. A guerra fria entre os que querem a maconha e os que não querem está só começando. Não vejo o menor sentido em ser preso por fumar uma erva natural. Deviam fazer uma grande pesquisa sobre os efeitos da maconha, só para saber até que ponto ela é mesmo prejudicial.

Muitas drogas entraram no mundo da música simplesmente porque muitas vezes os músicos não pensam como todo mundo, não vivem a vida de todo mundo e, por isso, têm válvulas de escape diferentes. Mas não é qualquer um que pode entrar nessa, porque nem sempre a cabeça das pessoas funciona assim. Só é bom pra quem tem cabeça para isso.

Para uns, pode ser mais uma diversão, para outros, pode ser o maior barato. E o que eu acho é que, em parte, a cultura das drogas se infiltrou através da música porque todo mundo está em busca de algo com que se identifique de uma forma ou de outra. Tem quem acredite que precisa do LSD ou de sei lá o quê para entrar na música. Não tenho nenhuma opinião sobre o assunto. Cada um sabe de si, é só o que posso dizer.

SE TEM UMA COISA em que acredito é que todos devem ser livres para fazer o que quiserem, desde que não façam mal a mais ninguém. Se você usa algum tipo de droga, isso é assunto privado. Não é da conta de ninguém. A experiência com as drogas costuma ser algo excepcional e muito misterioso. Eu só as utilizo para um fim específico, você pode dizer que é um meio de enxergar o outro lado das coisas. Todos os índios têm formas diferentes de estimulação – sua própria maneira de se aproximar de Deus, das formas espirituais ou seja lá do que for.

O problema começa quando você se deixa dominar pelas drogas em vez de usá-las como um meio para outra coisa. Vejo muita gente que só quer se drogar e ficar chapada. Cabe a eles não transformar isso numa fuga.

[Jimi pagou fiança e uma audiência foi marcada para 8 de dezembro de 1969. O show no Maple Leaf Gardens foi liberado e a turnê seguiu adiante, passando por Nova York e, depois, por Charlotte, Carolina do Norte. Em 20 de junho o Experience fez uma apresentação de nível irregular no Newport Pop Festival.]

Essa história toda não está sendo fácil. Estão começando a perder o respeito por nós, a nos explorar. É como se fôssemos mais uma marca de cereal sobre a mesa. É a escravidão do pop. Sinto que corremos o risco de virar a versão americana de Dave Dee, Dozy, Mick e Tich.

Às vezes, por mais que a gente toque mal, as pessoas vêm dizer que fomos fantásticos. Isso faz um mal danado, principalmente para quem está tentando evoluir. É muito peso em cima de mim. Isso me dói por dentro, porque sei a verdade e vejo que eles às vezes nem tentam entender.

Já faz uns três anos que estamos fazendo um trabalho sério. É no custo físico e emocional que eu tenho de pensar. Vamos a algum lugar, o show não vai tão bem quanto deveria e dizem que cometemos erros. Mas é o desgaste. O desgaste pela obrigação moral de seguir adiante, mesmo sentindo que não vamos dar conta de nem mais um show.

Sou tão humano quanto qualquer um, e não consigo trabalhar direto sem fazer uma pausa para esquecer e descansar um pouco. Quando esta turnê acabar, vou tirar umas férias longas, talvez no Marrocos, na Suécia ou lá nas montanhas do sul da Califórnia.

Pode ser que eu nunca chegue a fazer essa pausa. Só sei que não paro mais de pensar nisso, e isso não ajuda a criar o clima certo. Acontece que fico muito entediado, por mais que todo o resto esteja bem. E tenho certeza de que não sou só eu quem fica entediado. É como estar cansado de si mesmo. Eu nem consigo mais tocar guitarra do jeito que quero. Às vezes me sinto muito frustrado no palco e acho que é porque somos apenas três. Isso acaba nos limitando – Noel e Mitch também. De qualquer forma, acho que mesmo que tivéssemos mil pessoas no grupo ainda não seria o suficiente.

[Em 29 de junho de 1969, o Experience tocou junto pela última vez no Mile High Stadium, em Denver. Os três dias do festival de rock terminaram em meio a tumultos e gás lacrimogêneo.]

"Olha o gás lacrimogêneo. Começou a Terceira Guerra Mundial, é hora de escolher um lado. E com o ar cheio de gás, vamos imaginar que estão nos colocando no ar. É, vamos usar a mente para criar nosso próprio mundo aqui hoje... Humm, eu queria estar aí com vocês. Estamos tocando nos EUA pela última vez e, sabe, nos divertimos muito aqui. Noel Redding está com a banda dele, a Fat Mattress, vamos ficar de olho. E Mitch Mitchell formou a Mind Octopus. Quero dizer que aqui é o lugar para todos os americanos que têm orgulho de ser americanos. Mas estamos falando dos novos americanos, certo? Vamos lutar por isso."

[Depois do show, Noel Redding anunciou sua saída do Experience.]

Noel Redding está interessado em coisas mais harmônicas, em cantar e tal, e foi à Inglaterra para ter a banda dele. Ele deve ter as suas razões, não sou eu que vou impedir. Noel e eu continuamos amigos, mas ele tem ideias próprias, enquanto eu quero tomar outro rumo musical. Além disso, estou querendo um baixista com uma pegada mais crua.

Não sei mais dizer o que penso do Experience. Morri uma centena de vezes nesse grupo e nasci de novo. Mas, depois de algum tempo, a gente tem que deixar as coisas claras. Talvez pudéssemos continuar, mas para quê? Qual seria a vantagem disso? Estamos falando de um fantasma, de um morto, das páginas antigas de um diário. Estou interessado em outras coisas, quero pensar no amanhã, não em ontem.

CAPÍTULO OITO

(Julho de 1969 – Janeiro de 1970)

EARTH BLUES

Eu me vejo passando pelas mudanças mais drásticas, partindo para coisas melhores. Gosto de me considerar atemporal. E o importante não é quanto tempo você tem de estrada ou a sua idade, o que importa é quantos quilômetros você percorreu.

[Em julho de 1969, Jimi alugou uma casa nos arredores de Shokan, vila no norte do estado de Nova York, e se mudou para lá com Billy Cox e outros.]

Conheci Billy Cox nos paraquedistas. Roubávamos paraquedas e tocávamos juntos. E desde aquela época ele se apresenta por Nashville e pela Califórnia. Billy toca um baixo bem firme e temos feito bastante coisa com a guitarra e o baixo em uníssono, mas nada além de muito ritmo e padrões. Estamos começando a estabelecer um ótimo contato um com o outro porque entendemos a importância que tem uma amizade neste mundo.

> *I'm finding out that it's not so easy,*
> *'Specially when your only friend*
> *Talks, looks, sees and feels like you,*
> *And you do the same just like him.**

Com o Experience, havia mais espaço para egotrips. Tudo o que eu tinha para decolar no palco eram baixo e bateria. Mas agora quero recuar um

---

* De "My Friend": "Estou descobrindo que não é tão fácil,/ Especialmente quando você e seu/ Único amigo são tão parecidos,/ Na fala, na cara, na visão e no sentimento."

pouco e dar espaço para que outras coisas venham à tona. Vamos tirar um tempo nas montanhas, só ensaiando, praticando, até que eu tenha novas músicas, novos arranjos, novidades a oferecer. E nessa coisa nova entram escritores também. Temos esse lance de família que estamos tentando formar, mas é melhor não ficar falando só nisso, em nossas personalidades e tal. É a música que fazemos que conta.

É daí que nós partimos.

Vamos tocar quase sempre ao ar livre. Vai ser uma espécie de igreja do céu. A música pode dar quase todas as respostas, e o melhor lugar para isso é do lado de fora. Vamos tocar em um monte de lugares, como os guetos, o Harlem e tal. De graça, sempre que possível.

[A nova banda de Jimi estreou no Woodstock Music & Arts Festival, em 18 de agosto de 1969.]

"Ei, estamos nos vendo de novo, mmm! Olha, queremos esclarecer uma coisa. Já estávamos cansados do Experience, e às vezes estávamos pirando demais, então decidimos mudar tudo e agora nos chamamos Gypsy Sun and Rainbows. Ou, resumindo, Band of Gypsys. No baixo, temos Billy Cox, de Nashville, Tennessee. Na guitarra, Larry Lee – Yellin' Lee! E nas congas, Juma e Jerry Velez. E temos também um coração, o Mamãe Ganso, quer dizer, Mitch Mitchell, na bateria. E este que vos fala no trombone de vara."

O estranho é que na nossa vez de tocar só sobravam 15 mil pessoas. Fiz questão de tocar com a luz do sol, o que significou esperar até o quarto dia, quando a maioria dos garotos já tinha se mandado. Não sei por que tanto estardalhaço com a história do hino nacional. Sou americano, por isso toquei o hino. Era o que me faziam cantar na escola, revivi esse momento, foi isso. Tudo o que eu fiz foi tocar. Eu estava achando bonito, mas, veja só...

Eu curti o festival de Woodstock, principalmente o Sly Stone. Gosto da batida, do pulso dele. Richie Havens é fora de série – e o cara do Ten Years After. Fiquei até com um pouquinho de inveja ouvindo ele tocar. Quinhentas mil pessoas num festival é um público excelente. Espero ter mais eventos assim. A não violência, a música mais genuína, aquele público acolhedor, disposto a dormir na lama, na chuva, suportar todos os incômodos. É tanta coisa que, somando tudo, a gente se sente como um rei.

Queria que todo mundo visse um festival como esse, vissem a mistura, a comunicação, a harmonia. Mas qualquer um pode arranjar um espaço, encher de gente e colocar as bandas tocando uma atrás da outra. Eu não sou lá muito fã da ideia de enfileirar os grupos um depois do outro. Acaba virando tudo uma coisa só. É a tal história do dinheiro. Todo mundo quer explorar esse filão. Não estão nem aí para a garotada na plateia. Se chover, eles que se molhem.

> *"Quinhentas mil auréolas... brilharam mais que a lama e a história. Nos lavamos e bebemos nas lágrimas de alegria de Deus, e dessa vez... E para todos... A verdade não foi um mistério.*
>
> *Chegamos juntos... Dançamos com as pérolas do tempo chuvoso. Surfando as ondas da música e do espaço, música é mágica... Mágica é vida..."*

Se quiserem amar os filhos, os pais precisam prestar atenção à música deles. A música tem muito a ver com o que está acontecendo hoje. É preciso entender isso. É melhor do que política. É mais fácil nos escutarem do que escutarem o que o presidente diz. É por isso que tinha tanta gente em Woodstock.

Converse com os pais, com a tal da "outra geração", porque eles têm um jeito de superproteger os jovens, de guardá-los em caixas. Eles mesmos se metem em caixas, assim não dá para viver direito. Já os mais jovens, um pouco mais espertos, percebem isso e, como os mais velhos não lhes dão respeito nem espaço, acabam tomando outros rumos e fazendo uma música mais barulhenta e rebelde. Estão só procurando a própria identidade. Estão cansados de se meter em gangues, de participar de grupos militantes, cansados de ouvir a falação do presidente. Querem encontrar caminhos novos. Sabem que estão no rumo certo, mas de onde diabos estão partindo?

Os hippies eram uma experiência. Agora são só um clichê da moda. Quando acaba a gasolina, não dá para encher o tanque com paz e amor. Por que levar isso tão a sério? O que vemos hoje são um monte de penduricalhos e esses pseudo-hippies exibindo seus emblemas de "Faça amor, não faça guerra". Esses garotos não vão durar muito, vão pegar a primeira onda nova que passar perto deles, seja qual for.

Não gosto de classificações, em lugar nenhum. Por que se enquadrar numa categoria quando você pode começar sua própria onda? Para ser diferente, é preciso ser esquisito. Acontece que os esquisitos são muito preconceituosos. Para ser aceito por eles, você tem que falar de uma determinada maneira, do mesmo modo que, para andar com os outros, tem que usar cabelo curto e gravata. Acho que não devíamos continuar carregando esses velhos pesos do passado. É por isso que estamos tentando criar um terceiro mundo...

> *"E você olha pela janela para o ruído e o louco alvoroço da vida – não é um grito para hoje, não foi feito para hoje. E a visão das lágrimas do mundo, os rios dos futuros a nascer."*

[Depois do festival de Woodstock, Jimi levou sua nova banda para gravar no Hit Factory, em Nova York.]

Temos muitos grupos buscando a harmonia entre as pessoas. Vi o fogo de Crosby, Stills e Nash. Eles são incríveis. É música western celestial, delicadíssima e ding-a-ding-ding. Gosto do Impressions. Gosto desse toque. Desse sabor. Quando bem feito, é uma coisa divina. Otis Redding quase me faz chorar. Dá aquela sensação boa e, depois, um nó na garganta, caramba – e é aí que a coisa ferve. Se eles não param, sei que vou passar vergonha, que não vou conseguir segurar o choro.

Olha, eles são compositores clássicos. Merecem todo o respeito. Dão ao povo uma música que nos deixa bem, tira o peso das frustrações. Como naquele momento em que brancos e negros se encaram prontos para atacar um ao outro a marteladas. Do jeito que se vive hoje, temos mesmo que começar a aprender o valor das coisas. Essa é a saída para a América.

A música é uma linguagem universal e, se fosse tratada com o devido respeito, acabaria tocando a todos. Não deve existir nenhuma barreira. Penso que a música não deve ficar entre quatro paredes – que devemos ser como os pregadores.

A outra música deve ficar dentro dos clubes. Quero mais é que eles fiquem em seus clubinhos e cabarés pretensiosos. E não são muitos os grupos que tentam passar uma mensagem de harmonia. E um deles é o nosso...

[Em 5 de setembro de 1969, Jimi fez um show gratuito na Harlem Street Fair, em Nova York.]

Quem está promovendo tudo é a United Block Association, e queremos fazer mais shows para eles. Acho que outros grupos considerados de peso também deveriam contribuir para essa causa. Na verdade, o que queremos deixar claro é que a música deveria ser feita como num festival, porque muitos garotos dos guetos, ou seja lá que nome você queira dar para isso, não têm dinheiro para atravessar o país e ir a todos esses festivais. Não têm nem mesmo seis dólares para ir ao Madison Square Garden.

Eu sempre quis um som mais aberto e integrado, e me incomoda ver que alguns negros não curtem minha música. Eles se prendem muito a certas coisas. Às vezes, quando vou ao Harlem, olham meu trabalho e dizem: "Isso aí é de branco ou de preto?" E eu digo: "Por que você quer dissecar a música? Tente seguir o sentimento." As pessoas ficam muito presas a categorias musicais. Não querem escutar nada que soe completamente estranho.

Eu queria lançar uma versão especial de "House Burning Down" para as rádios de R&B. Nossa música não toca nas estações de R&B, porque nessa área não tivemos a mesma exposição que em outras.

Uma atriz negra precisa ser dez vezes melhor para fazer sucesso em Hollywood. Nós temos que ser dez vezes melhores para que os caras do soul pelo menos olhem para a gente. E não tem como enrolar, forçar, tem que ser bom de verdade.

Cor não faz a menor diferença. Tem gente que parece que pensa com os joelhos! Veja o Elvis. É branco e sabia cantar blues. E cantava melhor na fase do blues do que depois, quando começou a cantar essas músicas de "festa na praia". E veja o Bloomfield, que é uma banda absurdamente maravilhosa. Eles tocam com muito sentimento, e isso não tem nada a ver com a cor dos olhos ou dos sovacos deles.

Uma vez eu disse: "Tudo bem, vamos lá, tem um branco lá no Village tocando uma harmônica realmente da pesada." Então fomos todos para o Village ouvir o Paul Butterfield, e UAU, UAU! Aquilo me deixou ligado.

Ele mergulhava fundo naquele som. Ninguém podia mexer com ele, porque ele estava se sentindo em casa e estava feliz. Eu sempre digo, que vença o melhor, seja preto, branco ou roxo.

Os garotos negros acham que nossa música hoje é branca. Não é. Eles dizem: "Esse cara toca rock de branco para os brancos. O que ele está fazendo aqui?" Acontece que os brancos logo sacam qual é a do meu som porque alguns deles são doidões e têm bastante imaginação para sonoridades diferentes. Já os negros não têm muita chance de escutar. Estão ocupados demais lidando com os próprios problemas. Quero mostrar a eles que a música é universal, que o rock não é branco nem preto. Só existem dois tipos de música – a boa e a ruim.

[Jimi passou quase todo o ano de 1969 gravando na Record Plant e, exceto por uma apresentação no Salvation Club, em Nova York, em 10 de setembro, não tocou mais ao vivo.]

Nos últimos dois anos, passei por muitas mudanças. É por isso que estou há tanto tempo sem lançar nada novo. Sou muito inconstante, sabe? Tudo depende de como me sinto. Não sigo nenhum padrão. Às vezes componho depressa, mas as coisas que quero dizer agora demandam um pouco mais de tempo.

Vou ser sincero. Escutei *Are You Experienced?* de novo e a impressão que tive é que eu devia estar meio chapado. Pensei: "Cara, onde você estava com a cabeça quando disse essas coisas todas?" Ha, ha! O cientista maluco! Juro por Deus que eu não fazia ideia do que estava falando. Não vejo aquilo como a invenção da música psicodélica. Eu só estava fazendo um monte de perguntas.

Discos são apenas diários pessoais. Quando alguém faz música, está expondo uma parte nua da própria alma na nossa frente. E *Are you Experienced?* foi um dos álbuns mais diretos que eu já fiz. O que eu estava dizendo era: "Deixe-me atravessar esse muro, cara. Quero que você curta isso." Só que mais tarde segui por outros caminhos, e ninguém entendeu as mudanças. O problema é o seguinte: sou esquizofrênico de pelo menos uma dúzia de formas diferentes, e ninguém consegue se acostumar com isso.

Quero dizer tanta coisa e o tempo é tão curto que me sinto quase como um velho fracassado. É por isso que meu humor oscila tanto e às vezes sou tão temperamental. Não consigo evitar. Acho que nunca vou dar conta de fazer tudo o que quero fazer na música. Mas não consigo parar de pensar em música. Ela não sai da minha cabeça nem por um segundo. Não dá para evitar isso, então eu aproveito.

Estou dando duro no meu próximo disco. O título vai ser *Shine on Earth, Shine on* ou *Gypsy Sun*. Estamos trabalhando numas quarenta músicas, metade já está pronta. Uma boa parte é de improvisos, tudo bem espiritual, bem cru. Vai ter uma seção de cordas e o Mormon Tabernacle Choir. Vai trazer a resposta para as perguntas que muita gente está fazendo. Vai dar um jeito em muita gente.

Há uma grande necessidade de harmonia entre o homem e a Terra. Acho que estamos acabando com essa harmonia, jogando lixo no mar, poluindo e tudo o mais. Não é só uma moda, é muito sério.

Estão falando até em terremoto. São as más vibrações, sacou? É aí que está a origem de todos os terremotos. Elas às vezes ficam muito pesadas. Algumas dessas vibrações que as pessoas dizem captar são de verdade, considerando o fato de que a Terra vai passar por uma transformação física em breve. O sistema solar está passando por uma mudança que vai afetar a Terra daqui a uns trinta anos. Nós, que fazemos parte da Terra, também vamos sentir. Em muitos sentidos, somos nós a causa disso. Esta sala é só uma migalha da crosta da torta e não há para onde correr para se salvar.

Não ignore o SOL... porque o sol é a verdade que brilha para ser vista.

I have lived here before the days of ice,
And of course this is why I am so concerned.
And I come back to find the stars misplaced
And the smell of a world that has burned.*

Temos que nos preparar para a forma maravilhosa como a verdade se revelará. O que é ainda mais incrível é como as pessoas ignoram os sinais dos maremotos, vulcões, terremotos etc. Sei que, no fundo, estão fingindo que não entendem a mensagem. Parece que não nos preocupamos com nossos filhos. Como fugir disso se, no final, no longo prazo, seremos nossos próprios filhos?

---

* De "Up from the Skies": "Eu vivi antes da idade do gelo,/ E é claro que tinha que estar preocupado./ Ao voltar, encontro as estrelas fora do lugar/ E o cheiro de um mundo incendiado."

Even the sun is hesitant
To shine
Through slag-filled clouds
That come from crowds
Of factories coughing
Waste grit and grime.

The air could be clearer but,
Dear me,
Who would dare think of all
That money to spend,
Bless its little paper heart,

Just to keep from
Breathing filth and
Gaseous slime?*

[Perto do fim de 1969, os problemas se acumulavam na vida de Jimi: um processo referente a um contrato antigo com a PPX Enterprises; mais de um ano sem conseguir lançar um novo álbum pela Warner Bros.; dificuldades financeiras decorrentes da construção dos Electric Lady Studios; e a pressão dos empresários para continuar com as turnês.]

Não sei o que está acontecendo. Estou tão cansado, sabe. Todas essas entrevistas coletivas, todas essas perturbações desnecessárias estão me destruindo. Não sobra tempo para a música. Só queria poder relaxar um

---

* Trecho de letra não gravada de Hendrix: "Até mesmo o sol hesita/ Em brilhar/ Por entre nuvens/ Cheias de fuligem,/ Que vêm das fábricas amontoadas,/ Que tossem refugos,/ Poeira e detritos.// O ar poderia ser mais limpo, mas,/ Ai de mim,/ Quem ousaria pensar em todo/ O dinheiro gasto,/ Abençoado seja seu coraçãozinho de papel, // Só para não ter que/ Respirar essa imundície e/ Esse lodo gasoso?"

pouco e pensar em mim mesmo e na minha música. Queria pegar a guitarra, subir ao palco e cantar e depois sumir para longe das perguntas e das pessoas.

Não tiro um tempo para mim desde que entrei nessa vida. Não consegui nem juntar dinheiro e ir para as montanhas, porque sempre aparece algum problema, alguma dor de cabeça. Estou muito cansado. Não é físico. É mental. Minha cabeça está num estado tal que, se eu não descansar um pouco, logo, logo eu pifo, é questão de horas ou dias. Parece que vou ter... como se diz? Um colapso nervoso. Já tive três desde que entrei nesse ramo.

Quando o sucesso chega, as cobranças são pesadas. Para muitos, são pesadas demais. Você pode relaxar, gordo e satisfeito, ou pode fugir disso, que foi o que eu fiz. Não tento mais preencher nenhuma expectativa. Se sou livre, é porque estou sempre fugindo.

Tendo a me sentir uma vítima da opinião pública. Querem saber das garotas, botando para quebrar, levantando o punho erguido. Se corto meu cabelo, perguntam: "Por que você cortou o cabelo, Jimi?" Estava quebrando. Querem saber: "Onde você arranjou essas meias? Por que você está de meias azuis hoje?"

E então eu começo a me fazer perguntas. Será que eu faço solos demais? Será que eu devia ter dito obrigado àquela garota? Talvez fosse bom deixar o cabelo crescer de novo. Posso me esconder atrás dele.

I get stoned and I can't go home,
But I'm calling long distance
On a public saxophone.
My head is dizzy and shaken,
Feel like I got run over by public opinion
*And the past.**

---

* De "Midnight Lightning": "Fico chapado e não consigo voltar pra casa,/ Mas estou fazendo um interurbano/ De um saxofone público./ Estou zonzo, de cabeça bamba,/ Parece que fui atropelado pela opinião pública/ E pelo passado."

Sinto necessidade de me isolar do mundo. Às vezes só quero que me deixem em paz. Muita gente gostaria de se aposentar e sumir do mapa, e eu ADORARIA fazer isso, mas acontece que eu ainda não disse tudo o que queria. Há tanta coisa absurda acontecendo. Queria não me importar tanto com isso. Eu tinha vontade de desligar a mente, sabe, esquecer este mundo em que vivo. Mas me preocupo com minha música. E se você tem uma preocupação, você já construiu toda a sua vida em torno dela.

Estou aqui para me comunicar. É essa a razão de eu estar no mundo, é isso que importa. Quero despertar as pessoas para que elas saibam o que está acontecendo. Mesmo que elas trabalhem das nove às cinco e passem o resto do tempo vendo TV, o importante é estar desperto.

[Outra pressão sobre Jimi era a iminência do julgamento por posse de drogas no Canadá. Uma condenação poderia significar até sete anos de prisão.]

[Em 11 de novembro de 1969, Jimi recebeu uma carta de seu advogado Henry Steingarten.]

Caro Jimi,

Fiquei desapontado por você não ter vindo a nossa reunião de ontem. Eu o procurei no hotel, mas você estava fora. Temos muitos assuntos a resolver, e com urgência. São os seguintes: O julgamento do caso de Toronto está marcado para 1º de dezembro. Nos encontraremos todos no Royal York Hotel, em Toronto, na noite de 29 de novembro. Passaremos o dia seguinte com O. Driscoll preparando a defesa. Sharon Lawrence, Leslie Perrin, Bob Levine, Mike Jeffery e, talvez, Chas Chandler estarão lá. Quero conversar com você sobre isso antes de nossa ida para Toronto.

Pode ser do seu interesse que o caso de posse de narcóticos de Mark Stein foi a julgamento em 24 de outubro, em Montreal, e ele foi absolvido. O processo dele era mais difícil do que o seu. Assinei ontem, em sua ausência, um acordo com a Warner Bros. pelo qual, se você não lhes der um álbum num período de três meses, como exige seu contrato, eles podem mixar um disco usando suas fitas. Há dois álbuns programados. Um pela Capitol e outro pela Warner. O editor está sujeito à sua aprovação, assim como o próprio álbum, e você tem o direito de substituir o material que julgar inadequado, mas o prazo para tudo isso é bem curto.

As custas judiciais crescem rápido, estão ficando enormes... Os danos à casa que você alugou em Woodstock chegaram a 5 mil dólares, que também precisam ser pagos. No momento, não temos dinheiro para cumprir suas obrigações e boa parte do que você receberá da Warner e da Sealark servirá para cobrir essas despesas. Por diversas vezes tentei fazê-lo entender a gravidade da situação em que se encontra e pedi que cortasse seus gastos. Sou obrigado a repetir que isso é de vital importância e gostaria de reservar parte do dinheiro e investi-lo para você, evitando que esteja disponível para gasto imediato...

[Em 8 de dezembro de 1969, Jimi voltou ao Canadá para o julgamento de seu caso.]

Juiz:
Qual seria a finalidade deste tubo de alumínio?

Jimi:
Deve ser uma espécie de zarabatana. Para falar a verdade, não sei o que é. Alguém deve ter colocado isso na minha mala.

Juiz:
Seus fãs já ofereceram drogas ao senhor?

Jimi:

O tempo todo.

Juiz:

O senhor afirma que abandonou completamente as drogas?

Jimi:

Eu superei as drogas.

Jimi foi absolvido de todas as acusações.

Estou me sentindo ótimo, feliz pacas. O Canadá me deu o melhor presente de Natal da minha vida. Cara, é tudo um jogo. Mas vamos manter as aparências. O governo canadense estava só fazendo seu trabalho. Cada um na sua. Às vezes as pessoas são sensíveis demais, como eu fui. Olha o que poderia ter acontecido comigo, mesmo que eu não use mais nenhuma droga. É verdade, é verdade! Não uso mais tanto. É o que eu estava tentando dizer a eles.

É claro que ninguém precisa de drogas. Existem outras coisas que podemos aproveitar. Conhece aquela minha música, "I Don't Live Today, Maybe Tomorrow"? É bem isso. As coisas estavam ficando pretensiosas demais, complicadas demais. O assunto das músicas passou a ser o próprio ácido! As coisas começam a dominar a gente. Imagens, drogas. Ninguém se lembra do que aconteceu com Deus. A alma é que deve estar no comando, não as drogas. Você deve dominar a si mesmo e dar uma chance a Deus.

O mundo das drogas estava revelando muita coisa na mente das pessoas, estava mostrando coisas com que elas não sabiam lidar. A expressão "abrir a cabeça" é válida. As pessoas gostam de ter a cabeça aberta. Bom, a música faz isso. Ninguém precisa de drogas. A música é um barato seguro. É assim que deveria ser. Acho que é daí que vem o barato. É tudo ritmo e movimento.

Se você tem algum ritmo, ele pode se tornar hipnótico.

Se você ficar repetindo sempre de novo, a maioria não vai resistir mais do que um minuto. Se você conseguir sustentar a repetição por três, quatro, quem sabe cinco minutos, o ritmo vai liberar alguma coisa dentro da sua cabeça. Aí você pode diminuir um pouquinho o ritmo e aproveitar *o pequeno espaço que se abre* para dizer o que tem a dizer.

> *"Se você quer acreditar que o mundo é um palco, deixe que eu seja seu contrarregra elétrico... E farei surgir sobre você um furacão avassalador, arremessarei você no vasto centro e deixarei seu corpo lá tremendo – mas forçado a ficar. O centro, tão calmo quanto o cérebro intocado de um bebê. Deixarei que ele seque seu nervo úmido e com o dedo rasparei as bordas da tigela e servirei no prato de seu ouvido subconsciente. E o que você vai testemunhar não virá direto de meus braços, mas através de mim, direto de sua própria escrita... É o bastante ou quer continuar no limite?"*

O que acontece é que tem um sexto sentido vindo aí. Cada um tem um nome para ele, eu o chamo de "Free Soul". É por isso que tudo hoje está para além do alcance da vista. Temos que descobrir como desenvolver outras coisas que nos levem adiante com mais clareza. Dizem que nada é mais rápido que a velocidade da luz – isto é, dos olhos –, mas esquecem da velocidade do pensamento, que é ainda mais rápida. Por exemplo, basta pensar nesse tema para alcançar o outro lado dele. É por isso que a música é mágica.

Você pode escutar qualquer coisa que mexa com você, qualquer coisa que faça você viajar. A gente precisa viajar com alguma coisa. Todo mundo quer ser levado para algum lugar. Eu sempre gosto de levar as pessoas para uma viagem. Quando eu toco, cara, eu decolo num foguete. Não sei para onde vou, mas vocês todos podem vir comigo, todos vocês, sem exceção. Venham na minha nave.

It's very far away,
It takes about half a day to get there,
If we travel by my... dragonfly.
No, it's not in Spain, but all the same,
You know it's a groovy name,
And the wind's just right...

Hang on, my darling,
Hang on if you wanna go.
You know it's a really groovy place,
With just a little bit of Spanish castle magic.*

Está tudo na sua cabeça.

[A Warner Bros., gravadora de Jimi, cedeu os direitos de seu próximo álbum à PPX e à sua distribuidora, a Capitol Records.]

A CAPITOL RECORDS ESTAVA nos pressionando a lançar um novo álbum, então lá fui eu, Buddy Miles na bateria e Billy Cox no baixo. Passamos toda esta última semana praticando de doze a dezoito horas por dia, direto! Estávamos é curtindo, só isso. Falávamos em "ensaio" só para dar um ar mais oficial. E fomos fazer uma jam numa boatezinha fedorenta, apenas para testar e sentir o clima. Vamos nos chamar de Band of Gypsys, porque é isso o que somos, um bando de ciganos. Todos os músicos são ciganos. Têm o mundo todo como quintal.

Musicalmente, tentamos preservar a união. É por isso que os membros dos grupos musicais mudam o tempo todo – porque estão sempre preocu-

---

* De "Castles Made of Sand": "Fica muito longe,/ Leva mais ou menos metade de um dia para chegar lá,/ Se viajarmos na minha... libélula./ Não, não fica na Espanha, mas mesmo assim,/ Você sabe que esse nome é incrível,/ E o vento está perfeito...// Segure firme, minha querida,/ Segure firme se quiser ir./ Você sabe que é um lugar incrível,/ Com uma pitada de mágica de castelo espanhol."

pados com algum detalhe. O fato de usarmos esse nome cigano significa que podemos até incluir mais alguém no grupo. Pode até ser que eu não esteja o tempo todo na banda. Buddy também pode não estar sempre lá. Mas a essência, o todo, a criança, estará sempre lá.

Nós só estamos expressando o que vemos hoje. O nosso tema é esse. Não o blues triste, mas o blues hoje. Temos uma música chamada "Earth Blues". É toda base. Toda ritmo. Buddy está juntando todas as vozes, elas serão um outro instrumento. Temos uma outra chamada "Them Changes". Foi o Buddy quem compôs, e eu queria que ele cantasse. E temos mais uma que se chama "Message to Love". Todo mundo só fala de amor, então vamos nos meter nesse assunto também, vamos ver o que sai daí…

Well world,
I said we're travelin at a speed
Of a reborn man.
We got a lot of love to give,
Ya better come on if ya can.
I'm talkin bout love,
Don't try to run away.
Check yourself out baby,
And then come with me today.*

A base da nossa música é um lance blues espiritual. Agora eu quero retomar esse chão. Quero voltar ao blues, porque é isso o que eu sou. Quando a música avança demais e corre o risco de se transformar numa técnica, a gente sempre volta ao que é mais básico e genuíno. É por isso que o blues, o country e o western são os alicerces da nossa música popular.

---

* De "Message to Love": "Bem, mundo,/ Eu disse que estamos viajando na velocidade/ De um homem renascido./ Temos muito amor pra dar,/ Então é melhor você vir se puder./ Estou falando de amor,/ Não tente fugir./ Prepare-se, baby,/ E venha comigo hoje."

O blues é fácil de tocar, mas difícil de sentir. É preciso conhecer bem mais do que a mera tecnicalidade das notas. É preciso conhecer os sons e o que existe entre uma nota e outra. A maioria acha que para ser um bom músico de blues é preciso sofrer. Eu não acredito nisso. Quando ouço certas notas, fico muito feliz. É que eu gosto mesmo do som do blues. Dizíamos coisas como, se você não tem nenhum blues, vamos fazer um pouco para você levar para casa.

O blues faz parte da América. O blues não vai morrer nunca.

[Para cumprir o contrato com a PPX/Capitol, a Band of Gypsys gravou seu disco de estreia no Fillmore East, em Nova York.]

Subimos no palco do Fillmore East na véspera e no dia do ano-novo. Aquela primeira apresentação foi tensa. Foi assustadora. Buddy é quem vai cantar a maior parte do tempo. Eu prefiro só tocar. Na Inglaterra, me faziam cantar, mas a voz certa é a do Buddy, então ele é que vai ficar com o canto daqui para a frente. Seja como for, não vou mais dar conta da gritaria por muito tempo. A música tem dessas coisas, mas não sou nenhum Bing Crosby.

[Em 28 de janeiro de 1970, a Band of Gypsys fez sua última apresentação num show beneficente em prol do Vietnam Moratorium Committee, no Madison Square Garden. De repente, no meio da segunda música, Jimi abandonou o palco.]

Foi só alguma coisa que mudou na minha cabeça. Estou passando por mudanças, eu realmente não saberia dizer o que aconteceu. Estava muito cansado. Às vezes você tem um monte de coisas enchendo sua cabeça e aquilo tudo vem à tona num momento bem específico. Aconteceu de ser naquele concerto pela paz. E lá estou eu, travando a maior guerra da minha vida – dentro de mim, sabe? E aquele não era o lugar para fazer aquilo, então eu só revelei o que estava por trás das aparências.

Para mim o Madison Square Garden foi como o fim de um longo conto de fadas. O melhor fim que eu poderia ter encontrado. É como se fosse o fim de um começo.

CAPÍTULO NOVE

(*Fevereiro de 1970 – Setembro de 1970*)

NINE TO THE UNIVERSE

Forget of my name.
Remember it only as a handshake.
Ride instead the waves of my
Interpreture, music, sound, hypnotic,
If you choose.*

---

* De "May I Whisper In Your Ear": "Esqueça o meu nome. / Pense nele como apenas um aperto de mão. / E surfe nas ondas da minha/ Interpretação, música, som, hipnótica,/ Se for esse o seu desejo."

[Depois do show interrompido no Madison Square Garden, Mike Jeffery demitiu Buddy Miles e tentou retomar o Experience original. Os planos de Jimi eram outros.]

O EXPERIENCE CHEGOU a um beco sem saída. Depois de três anos tocando, atingimos um estágio em que estávamos só nos repetindo. Mitch vai tocar comigo. Ele nunca esteve melhor. Noel está definitivamente fora, não há dúvida quanto a isso.

Já estava nos meus planos trocar de baixista, desde aquela época depois do Experience, quando não havia mais banda. Não é nada pessoal contra Noel. Billy Cox tem um estilo mais firme, que combina mais com o grupo novo. Não estou dizendo que um é melhor do que o outro, só que hoje quero um estilo mais sólido. Não dá para saber o que vou querer amanhã.

[Em abril de 1970, "Stepping Stone", com Billy Cox no baixo e Buddy Miles na bateria, foi lançada nos Estados Unidos como um single. Não chegou às paradas e foi logo recolhida.]

Não tenho lançado muitos discos ultimamente. Queria lançar este antes que me esquecessem.

I'm a man, at least I try to be,
But I'm looking for the other half of me,
I'm lookin' for that true love to be,
My endless search for my true destiny.

Well, I try try not to be a fool.
Well, I try try Lord to keep my cool, baby,
Try so hard to keep it together.*

Não sei se o disco é bom ou ruim. Não saberia mais dizer. Algumas cópias saíram sem baixo. Tive que ir lá pedir para o cara refazer a mixagem, mas ele não fez isso. É claro que me importo. Queria um single de sucesso. É legal ver suas músicas tocando nas rádios do mundo todo.

Cheguei a gravar um pouco no ano passado, mas depois de dois dias surtei, porque boa parte das gravações foi feita no intervalo entre o fim do Experience e a formação da Band of Gypsys. É um material de outra era. Estou perdendo tempo comigo mesmo.

[Abril foi também o mês do lançamento de *Band of Gypsys*, gravado no Fillmore East. O álbum ficou 61 semanas nas paradas americanas e chegou à 5ª posição.]

Só lançamos *Band of Gypsys* porque a Capitol estava nos pressionando por um LP e não tínhamos nada pronto. Então, foi isso o que demos a eles. Não fiquei lá muito satisfeito com o álbum. Se dependesse de mim, nunca seria lançado. Do ponto de vista de um músico, não é um bom disco, e desafinei em algumas músicas. Faltou preparação, e o resultado ficou meio

---

* De "Stepping Stone": "Sou um homem, ou pelo menos tento ser,/ Mas estou procurando minha outra metade,/ Estou procurando pelo meu futuro amor verdadeiro,/ Minha busca sem fim pelo meu verdadeiro destino. // Olha, eu tento não ser um idiota./ Olha, eu tento, tento, Senhor, manter a serenidade, menina,/ Tento me esforçar pra manter o equilíbrio."

apagado. Estávamos todos inseguros. Mas tem algumas músicas boas no disco, algumas ideias legais, principalmente no lado B.

[Constantes pressões financeiras obrigaram Jimi a abandonar o trabalho em seu novo álbum e aceitar mais uma turnê americana.]

Batizei essa turnê de "Cry of Love" porque é disso que se trata. Uma das maiores bobagens que andam dizendo é que "Nenhum homem é uma ilha". Todo homem é uma ilha, e a música deve ser a única forma de nos comunicarmos de verdade. É uma cruzada, não é?

Muitos americanos estão à procura de um líder no campo da música. Precisam de alguém como nós para dar um jeito nas coisas. Nossa onda agora é a verdade. Queremos ser totalmente honestos, de cara limpa. Queremos ser respeitados quando estivermos mortos. Quem não quer ser lembrado na história? Mas, mesmo se formos esquecidos, o importante é que não perdemos o sentimento, é isso que importa. Se eu morrer amanhã, o sentimento fica. Esqueça os nomes e rótulos. Nós expressamos a música. A ideia é fazer isso com todo o vigor possível, é promover uma certa alteração física.

Os Beatles poderiam fazer isso. Eles seriam capazes de virar esse mundo do avesso, ou pelo menos tentar. Os Beatles podem ser uma força positiva, eles poderiam unir as pessoas. Eles são poderosos porque tocam para as massas. Deviam usar esse poder. Poderiam até ficar um pouco desconfortáveis com essa posição, mas eu não dou a mínima para a minha posição. Poderia comprar uma casa em Beverly Hills e me aposentar, mas quero seguir adiante me comunicando. O que me deixa feliz é transmitir meus pensamentos para os outros, então é isso o que devo fazer.

[A turnê "Cry of Love" estreou no Los Angeles Forum em 25 de abril. Os americanos haviam celebrado o Dia da Terra de 1970 três dias antes.]

> "Escutem, estamos todos juntos nessa bagunça. Todos vivendo, tentando crescer, criancinhas saindo de casa com seus passinhos aqui e ali. E algumas têm grandes sonhos, e alguns desses sonhos são mortos pelos velhos esquemas tradicionais de merda. Então tente captar a mensagem. Dificuldades, protestos, isso nós já conhecemos bem! Agora é hora de encontrar uma solução. Que tipo de mundo queremos ter? Depende de vocês e de nós todos também, então vamos unir nossos sentimentos. Vamos unir nossos corações."

Ainda vão acontecer muitos distúrbios nos Estados Unidos, no mundo todo, aliás. Sentados com os olhos grudados na TV, só vemos o lado fantasioso da vida. Mas os problemas continuam, lá fora, nas ruas. Tento usar minha música como uma máquina para levar essa gente a agir, para que as mudanças aconteçam. Sei que podemos fazer isso, não é esse o problema. É por isso que estamos sofrendo. É por isso que nos divertimos para valer. Que sofremos para valer. O problema é: vocês aguentam firme?

SEI ONDE ESTÁ O PROBLEMA. Tem muito de preguiça nisso. É preciso que haja gente disposta a levantar a bunda da cadeira e se unir. Não dá mais para ficar só sentado fumando e dizendo "É isso aí, cara, que demais, vamos protestar, vamos protestar", sem encontrar nenhuma solução. E quando encontram uma solução, acabam se dando conta de que vão ter que fazer algum sacrifício. Como o cara que precisaria abrir mão do emprego, que ele chama de "segurança", mas que na verdade é um tipo de escravidão.

> "Você dá duro todos os dias, volta pra casa todas as noites, dá comida pro gato e pro cachorro, fuma um e fica tudo bem – mas então você vê sombras na parede, vozes gritando de mil salões e você sabe que está vindo logo ali da esquina.
>
> Os anos passam e você já tem 82 – você relembra sua vida e fica preocupado, e diz a si mesmo – eu não fiz nada –, e lá vai você com sua máquina do tempo, voltando para quando ainda não tinha cruzado aquela esquina."

Temos que ficar atentos. Pensar em segurança, buscar a segurança, hoje em dia essa é a maior, a pior das drogas. Quando nos livrarmos dessa ideia, vai começar a acontecer um monte de coisas novas. É assim que eu vivo hoje. Não tenho nenhum plano definido. Amo as incertezas do futuro. Para mim, não faz sentido viver sabendo o que vai acontecer. Existem, é claro, certas coisas que quero fazer, e é bem possível que eu me destrua enquanto vou em busca delas.

> *"Eu hoje queimo sob a consciência, no meu cérebro, do que me impele para longe dos problemas, às vezes para o próprio tempo, para fora, para o espaço onde está tudo. Lá onde meu corpo não consegue respirar. O que minha mente está fazendo lá? Por que minha alma ultrapassa o limite seguro do ego curioso e avança na velocidade do pensamento, que vai mais rápido e mais longe do que qualquer coisa conhecida?"*

O importante é levantar o rabo da cadeira e ficar de pé. Saia da cama, vá para a rua, blá-blá, au-au, tlec-tlec. Dá até para sapatear, não é?

Se você quer saber a verdade sobre isso tudo, o melhor a fazer é escutar a música. As grandes mudanças no rumo do mundo geralmente acontecem por causa da arte e da música. Da próxima vez, é a música que vai mudar o mundo. Olha, a música não mente. Até pode ser mal-interpretada, mas não mente.

[Em 4 de maio de 1970, quatro estudantes foram mortos a tiros pela Guarda Nacional em protestos contra a Guerra do Vietnã na Kent State University, Ohio.]

> *"Dedico isto a todos os soldados da luta em Kent State – a todos quatro! E a todos os soldados de Madison e Milwaukee. Ah, sim, quase que me esqueço, Vietnã e Caam-boo-jaa! São tantas guerras! Essa merda toda é um atraso de vida! E quando você for ver, já terão acabado com esses garotos todos por causa de alguma merda dita por gente velha! Liberdade para todos nós!"*

Muita gente quer entrar para a história da guerra, para a história do dinheiro. É tudo uma brincadeira de criança para gente que se acha adulta. Para mim, os países são como criancinhas brincando com seus brinquedos, e tem esse garotinho, o garotinho americano, que não deixa ninguém sair na rua. Que ATRASO as forças armadas americanas terem feito da RACHADURA do Sino da Liberdade seu símbolo! Existem outras maneiras de resolver as coisas, outras maneiras de viver.

[Por causa dos protestos contra a guerra, quando Jimi tocou no Berkeley Community Center, em 30 de maio, a área quase foi posta sob lei marcial.]

> *"Odeio dizer isso, mas há muitas verdades que temos de encarar. A ideia são as soluções, mas ainda temos que dedicar isto a todos os soldados que estão presos em Chicago, todos os soldados de Nova York, da Flórida, daqui mesmo de Berkeley – especialmente os soldados de Berkeley. Vocês sabem de que soldados estou falando. Dedico isto também aos que também estão travando guerras, mas dentro de si mesmos, não enfrentando a realidade. Vamos tocar o hino americano como ele é de verdade, no mesmo ar que vocês respiram todos os dias, com seu verdadeiro som. Estamos juntos nessa confusão. Vamos tocar o NOSSO hino americano."*

Os garotos no campus estão gritando pelo buraco da fechadura. Eles não estão sendo indivíduos. Nos tumultos aqui dos Estados Unidos a gente vê esses garotos masoquistas. Eles vão lá sem nenhum tipo de proteção, sem nada. Eles levam porrada. Alguns deles dizem: "Não importa, não temos nenhum motivo para viver além desse. Este é o nosso mundo agora."

Dá para ver o tamanho do desespero quando um garoto vai lá sem nenhuma proteção e tem a cabeça estourada. Mas então a gente olha para o Japão. Os garotos lá compram capacetes, formam seus pequenos esquadrões, avançam em formação e tal. Eles têm tudo organizado. Têm seus escudos. Usam proteções de aço. É preciso ter tudo isso.

Eu queria ver esses garotos americanos usando capacetes e escudos romanos para protestar. Bem preparados! Se você for lá, também vai querer estar preparado. E pode pôr isso no livro, porque estou cansado de ver os americanos terem a cabeça rachada sem nenhum motivo.

[Entre maio, junho e julho de 1970, a turnê "Cry of Love" cruzou todo o país, percorrendo mais de trinta cidades.]

> "Gostaria de dedicar este show à American Deserters Society. Então, vamos dar uma força para eles tocando uma música, o hino americano, para trazer de volta todos os soldados do Vietnã. Em vez de marcharem pelas ruas carregando nas costas M-60s, submarinos e essa tralha toda, que tal entrarem na cidade trazendo guitarras? Sim, vamos todos voltar do Vietnã!"

Os Estados Unidos costumam trazer para fora o rebelde que há em mim, e na verdade eu não sou nada disso. Continuo amando a América, é claro, tem muita coisa boa aqui. Mas há muita coisa ruim também. Olha, do jeito que este país está sendo conduzido, dá para ver a ruindade, dá para ver o mal, bem na nossa cara.

De um lado temos uns caras que parecem pelicanos, todos pensam igual. Brigam por coisas mortas e inúteis. E temos também a Revolução Americana, falso amor pela MENTIRA, gente que vendeu a própria fé. E você, é claro, diz "Faça amor, não faça guerra", mas depois volta à realidade. Tem uma turma do mal por aí, eles querem que você seja passivo, fraco e pacífico, como a geleia que passam no pão, querem pegar você desprevenido. É bonito ser passivo, mas a gente precisa se defender. Fogo se combate com fogo.

Esqueça todo esse amor massificado. Não é assim que se constrói um entendimento. E eu queria saber dizer isso de uma forma tão contundente que eles abrissem o olho, porque não existe essa coisa de amor enquanto não houver verdade e entendimento. Para mudar o mundo, é preciso dar um jeito na própria cabeça primeiro.

[Em maio de 1970, depois de um ano lutando para construir os Electric Lady Studios, Jimi finalmente pôde começar a gravar lá.]

O que eu fiz neste lugar não foi pouco. Temos o melhor equipamento do mundo. Gravamos em 32 canais, o que dá para quase tudo. Se tem uma coisa que eu sempre odeio nos estúdios, é a impessoalidade deles. São frios e sem graça. Em poucos minutos, fico sem ânimo nem inspiração.

O Electric Lady é diferente. Foi montado com um clima ótimo. Temos um monte de almofadas, tapetes grossos e luzes suaves. É um estúdio muito descontraído, com todo o conforto, para dar a sensação de se estar gravando em casa. E você pode ter a combinação de luzes que quiser. Acho isso muito importante. Quero que o estúdio seja um oásis para todos os músicos de rock de Nova York. Chuck Berry e Sly estiveram lá gravando algumas coisas e eu estou trabalhando numa produção sinfônica que será gravada num futuro próximo.

ESTOU TRABALHANDO TAMBÉM no meu próprio disco, que se chama *First Ray of the New Rising Sun*. Esse álbum é minha nova vida. Vai falar das coisas que vemos e ajudar a diminuir o abismo entre os adolescentes e seus pais. Vai ser mais um álbum duplo, com umas vinte faixas. Algumas estão ficando bem longas, mas acontece que nossa música não trata de um tema único. A gente não precisa cantar sobre amor o tempo todo para dar amor.

Fiz uma música chamada "Trashman", que vou explicar. Há uma transformação física se aproximando e o mundo vai virar de ponta-cabeça. Não é bom nem ruim – é só a verdade. Acontece que os seres humanos esquecem que fazem parte da mesma matéria que a terra, e o ar agora está cheio de vibrações ruins. Por exemplo, quando você vai fumar um e vê que ninguém está contribuindo com nada. Isso é supernegativo.

Então vai haver essa grande transformação física e vamos conseguir tirar toda essa energia negativa das pessoas. E, com essa energia, você vai poder falar umas trinta horas sem parar, falar sobre algo certo e verdadeiro. Quer dizer, falar de algo que tem algum tipo de fundamento. Todos deveriam representar seu próprio papel. Todos deveriam ser atores em seu próprio roteiro. A origem de todo roteiro está em Deus. A cada um cabe o seu papel.

Temos também "Valleys of Neptune Arising" e uma outra chamada "Astro Man". Você pede paz, mas "Astro Man" veio para parti-lo em pedaços! E o tema de "The New Rising Sun" é uma espécie de bolero. Começa bem, mas depois passa para um padrão bem simples, fazendo uma única pergunta: "De onde você está vindo e para onde está indo?"

Acho que teremos uma música chamada "Horizon" ou "Between Here and Horizon", e daí seguimos para coisas como "A Letter to the Room Full of Mirrors", que já vai mais para o lado da confusão mental. A música fala de quando você fica tão chapado que só enxerga você mesmo, reflexos seus por toda parte. Sei que alguns de vocês já passaram por isso alguma vez, de uma maneira ou de outra. Cara, quero ficar longe desses problemas. É como dizem, num dia claro é que se enxerga longe.

EXISTEM BASICAMENTE dois tipos de música. O blues é um reflexo da vida, já a música ensolarada não tem tanta coisa a dizer nas letras, mas tem mais sentido musical. É um lance mais fácil, mais despreocupado e com mais sentido. Na verdade, eu não quero mais nada pesado demais. O que eu quero agora é tocar música ensolarada. Gosto de dizer que, quando as coisas ficam pesadas demais, "vocês podem me chamar de hélio, o mais leve dos gases conhecidos pelo homem!".

Mas a música está sempre se transformando conforme a reação das pessoas. Quando o ar está carregado de estática, barulho e agressividade, é assim que sai a música. Quando o clima começa a ficar sereno e harmonioso, é assim que a música vai sair. Então, o resultado depende das pessoas.

> *"A música segue as regras do ar de agora. Escute passivamente minha guitarra uivar, moer e remoer e se alimentar da escrita do seu nome."*

Tenho vontade de fazer umas coisas mais sinfônicas, para que os garotos aprendam a respeitar as velhas tradições musicais, os clássicos. Queria misturar isso com o que chamam de rock. Mas preciso entrar nessa do meu jeito, porque sempre gosto de respeitar minha própria maneira de ver as coisas.

Minha ideia não é chegar lá com uma orquestra de noventa músicos e tocar duas horas e meia de música clássica. Minha ideia é explorar os dois lados sem tomar conhecimento de nenhuma distinção entre rock e clássico, é fazer algo inteiramente diferente. Seria como se cada passo fosse uma mistura de passado e futuro. Quando eu conseguir isso, o mundo todo vai saber.

Seria incrível se conseguíssemos produzir uma música tão perfeita que fosse como raios nos atravessando e, por fim, nos curasse. Estou interessado na combinação de música e cor. É uma nova área de conhecimento.

Tenho planos que são inacreditáveis, mas já houve um tempo em que ser guitarrista era algo inacreditável para mim. Só lamento não ter começado a cantar e tocar sozinho há mais tempo. Também me arrependo da minha preguiça. Antes, eu compunha milhares de músicas, mas não encontro mais tempo para isso.

[Em 30 de julho de 1970, Jimi participou do "Rainbow Bridge Vibratory Color/Sound Experiment", na ilha de Maui, no Havaí.]

Quando estive no Havaí, vi uma coisa linda, um milagre. Havia vários anéis em volta da lua, e cada anel era um rosto de mulher. Eu gostaria de poder contar isso para alguém...

Um bebê, uma criança, como um homem,
Como um grão de areia vivo,
Sentado na praia que muda sempre,
Saudando o sol nascente...

Reparei na cigana,
Cabelos flamejantes na noite em que até os
Corvos dormem... Vestida de arco-íris...
O tamborim acompanhando seu canto
E escolha de graças
E amando seu Deus.

Olhei para ela e ela estava
À minha direita... E lá vinha ela
E pela esquerda vinha o bebê,
Que então olhei e vi,
Eram onze ou doze mulheres, homens
E pequeninos, se aproximando,
Trajados conforme o desejo do mestre;
As vestes brancas se agitando ao caminho do batismo.

Esses dois mundos se cruzaram
Diante de mim, quando mais tarde...
E criança bebeu do oceano, até encher o coração,
Cuspiu fora o resto e
Caminhou por sobre o novo dia.

Eu agora vejo milagres todos os dias. Antes, eu me dava conta deles uma ou duas vezes por semana, mas alguns são tão drásticos que eu não poderia explicá-los para ninguém, ou já teriam me trancafiado. Um dia, vou finalmente botar tudo isso para fora, mas não vou tocar nesse assunto até que mais gente tenha visto isso. É um pensamento universal; não é uma coisa assim tão simples...

A gente tem medo de descobrir até onde vai o poder da mente. No momento, só usamos uma minúscula parte dela, a extensão inexplorada é muito maior. Houve um tempo em que o homem enxergava o mundo todo com seu terceiro olho. Sempre foi assim, era normal. Se, pelo menos, pudéssemos recuperar as habilidades perdidas.

Penso que, do jeito que as coisas andam, ainda vamos demorar bastante para amadurecer. Mas a espiritualidade e as coisas que temos na cabeça estão sempre presentes. Quer dizer, aos poucos, as coisas estão melhorando. Eu sempre tenho visões e sei que isso está crescendo e vai dar em algo grande. Vem tudo daquilo que me guia. Daquilo que vim aqui fazer.

[Durante o mês de agosto, Jimi continuou a gravar nos Electric Lady Studios. O estúdio foi oficialmente inaugurado no dia 26 daquele mês.]

Nova York está acabando comigo. Um lugar claustrofóbico, sem dúvida! É tudo tão acelerado que botar o pé para fora da porta é como entrar numa montanha-russa. Uma vez, vi um soldado na rua e disse: "Oi, como vai?" Ele só ficou me encarando e disse: "Ei, cara, você é de verdade?" Estava se consumindo no próprio ódio.

Acredito que a gente tem que viver e viver de novo, até expulsar todo o mal e todo o ódio da alma. Comparado com a alma, o corpo vale tanto quanto um peixe no mar. Mas ainda existem cabeças-duras que não deixam o próprio cérebro, a alma ou as emoções se desenvolverem. Temos que ir com jeito, mostrando o caminho para eles, até que entendam o que está acontecendo. Com bastante amor e fé, podem se reencontrar consigo mesmos.

Não existe gente boa e gente ruim; no fim das contas, é tudo uma questão de se achar ou se perder. Tem um monte de gente perdida por aí e uns poucos escolhidos que estão aqui para ajudar essas pessoas a despertar dessa espécie de sonolência. Vai haver sacrifícios. É preciso chegar ao fundo do poço para depois voltar a ver a luz. É como a morte e a ressurreição. Depois de passar pelo inferno da morte, a gente tem que descobrir e encarar os fatos para começar um renascimento de toda a nação.

Todo o passado caminha para uma forma mais elevada de pensamento. Um dia, as casas serão feitas de diamantes e esmeraldas. Balas de revólver serão contos de fadas. Haverá um renascimento, uma passagem do ruim ao completamente puro e bom – do perdido ao achado.

Trumpets and violins I can hear in the distance
I think they're calling our names.
Maybe now, you can't hear them, but you will
*If you just take hold of my hand.**

Eu atribuo meu sucesso a Deus. Tudo vem de Deus. Eu sigo a mensagem e, na verdade, sou um mensageiro de Deus. Meu nome é só uma ilusão. A mera ideia de viver hoje é mágica. Estou trabalhando para que a música seja uma ciência mágica, completa, total e puramente positiva. Quanto mais negatividade e dúvidas tiramos das coisas, maiores, mais claras, mais profundas elas ficam para quem estiver em volta. É contagioso. Bach e esses caras todos, eles chegaram lá, e também tiveram sua cota de inferno.

---

* De "Are You Experienced?": "Ouço trombetas e violinos à distância/ E acho que estão chamando nossos nomes./ Talvez agora você não esteja escutando, mas para ouvir/ Basta segurar na minha mão."

Quanto mais você se aprofunda, mais sacrifícios tem de fazer. Isso significa que terei de me despir da minha identidade, porque essa não é minha única identidade. Na verdade, sou só um ator. A única diferença entre mim e esses caras de Hollywood é que eu escrevo meu próprio roteiro. Alguém precisa voltar à infância e pensar no que de fato sentia e queria antes que seus pais e mães deixassem sua marca neles, antes das manchas da escola e do progresso...

[Em 30 de agosto de 1970, Jimi voltou à Grã-Bretanha para tocar no Festival da Ilha de Wight. Fazia um ano e meio que ele não se apresentava no país.]

É bom estar de volta. Passei tanto tempo longe deste país e da Europa. Mas a banda tinha tantas turnês e apresentações em universidades americanas que não tínhamos como vir aqui. Acredite, nós também queríamos! Quando falávamos da nossa vontade de tocar aqui de novo, nossos empresários diziam: "Vocês não vão voltar para a Inglaterra agora. Aliás, vocês têm esse compromisso em Boston..."

Nós recebemos muita ESTÁTICA em Nova York, muito aborrecimento. Então, estou fazendo como o Zé Colmeia, hibernando. Tentei fazer os shows e ficar quieto por um tempo. Tenho passado por certas mudanças. Acho que isso é mais um assunto para ficarem falando.

Enquanto desaparecia nos Estados Unidos, tive a sensação de que, na Inglaterra, eu estava acabado. Pensei que talvez não me quisessem mais, já que tinham várias bandas boas. Será que os ingleses não estavam dizendo "Ah, nós já conhecemos o Hendrix, ele até que era legal"? Eu realmente não achava que fôssemos capazes de atrair muita atenção.

Estou tão nervoso com a ilha de Wight. Não acredito. Odeio ficar esperando. Acho que seria melhor se eu chegasse e me misturasse, trouxesse um saco de dormir para ficar junto do público e me identificar com aquilo tudo. Seria muito melhor, mas há os problemas de sempre. Se eu faço uma coisa dessas, tem gente que vem pra cima de mim e fica dizendo "Olha, é ele", "Olha lá", e me cutucando.

Ando meio preocupado porque estou ficando rouco como uma rã. Na noite passada, estávamos tocando tão alto que eu tinha que berrar na ponta dos pés. Estava me sentindo como se meus joelhos tivessem subido quase até a altura do peito. Fico meio tenso antes de um show. Gosto de ficar pensando sozinho. Tenho que me concentrar para entrar no palco. Não é só chegar lá e apertar um botão.

Meu empresário tenta evitar que entrem no camarim, e, quando alguém entra, eu procuro algum outro canto para ir. Então, neste momento, estou um pouco nervoso, mas acho que vai dar tudo certo, porque agora nós vamos fazer nosso showzinho. Mitch na bateria, Billy no baixo e eu na GUITARRA! Nada de ficar gritando.

Na maior parte do tempo, tocamos dentro de um completo vácuo, quer dizer, uma muralha de som, de sentimento. É por isso que tentamos tanto nos comunicar, entende? Shheeeooo! Faz dias que não pregamos o olho. Estou cansado e não tenho muito tempo.

O show na ilha de Wight pode ser o último ou penúltimo antes da formação da minha nova big band. Se a garotada curtir, pode ser que eu continue até um pouco mais tarde. Mas só sigo adiante se estiver sendo útil. A gente tem que ter um propósito na vida. Mas não vim aqui para falar, vim para tocar. Quero mostrar de novo como é que se faz.

Estou feliz. Vai sair tudo bem.

> *"É! Muito obrigado por estarem aqui. Vocês são todos lindos e fenomenais. E obrigado por esperarem. Foi uma longa espera, não foi? Ah, sim, tem alguém querendo que vocês da primeira fila se sentem. Acho que deve ser alguém lá das colinas. Não se esqueçam que vocês podem sair voando do topo dessas colinas. Não se esqueçam disso."*

O evento na ilha de Wight é o último dos grandes festivais?
Não entendo por que estão sempre tentando acabar com os festivais. O da ilha de Wight foi o máximo. É um lugar fantástico para se fazer um show, porque reúne a garotada não só das ilhas britânicas, mas também de todo o continente.

Houve alguns problemas com o público.
Isso acontece quando se reúne 500 mil pessoas. É bem mais do que a população de uma cidade média, e em qualquer cidade do mundo há sempre uma gangue, há sempre os tais marginalizados. Então, sempre vão existir os penetras, sempre vai existir o outro lado das coisas.

Estavam exigindo que a música fosse de graça.
Bom, eles aprenderam isso nos jornais. Em Monterey não teve essa confusão toda. Às vezes penso que deveríamos fazer um show gratuito. Vejo os preços que os garotos pagam para nos ver, é um absurdo.

O que há por trás do novo, e mais contido, Jimi Hendrix?
Eu estava sentindo que tinha gente de mais vindo para me ver e gente de menos vindo para me ouvir. Minha índole também mudou. Dei uma sumida e estou emergindo como eu mesmo. Acredito que estou crescendo um pouquinho. Parece que, de vez em quando, tenho pequenas centelhas de maturidade.

Você nunca pensou em se fixar em algum lugar?
Não consigo nem imaginar um lugar onde eu quisesse passar o resto da vida, mas gostaria de encontrar um canto para ficar um dia. Às vezes, quando estou sozinho, eu me pergunto: "O que estou fazendo aqui, com essa calça e essa camisa de cetim?" Tenho essa vontade de ter uma casa de verdade. Gosto da ideia de me casar com alguém que eu ame, mas ninguém sabe quando é a hora certa. Com a música, não sobra tempo para mais nada. Já sou casado com minha música.

Então o casamento não está nos seus planos?
Um casamento seria um tanto arriscado agora. Eu não gostaria nada de me machucar. Eu surtaria de vez. Mas admito que, hoje, gostaria de conhecer uma garota tranquila, provavelmente do interior, alguém que não soubesse nada sobre mim nem sobre minha reputação. Ainda quero ser pai. Hoje, isso é tudo o que importa no mundo. Ter filhos. É como plantar flores.

Como você relaxa?
Fico sonhando acordado, às vezes pinto paisagens, leio um pouco. Sempre adorei pintar. Aliás, a pintura foi minha primeira paixão de criança. Eu pintava, por exemplo, uma linda montanha e depois escrevia uns quatro versos sobre ela. Hoje é impossível encontrar tempo para pintar.

Quais são seus planos agora?
Conhecer tantos lugares quanto for possível e tocar nos ambientes mais diversos. Nossa casa não é a América, é a Terra. Estou planejando uma grande turnê mundial, para antes ou logo depois do Natal. Quero ir ao Japão e à Austrália. Também queremos voltar à Inglaterra e fazer um show grande em cada uma das maiores cidades. Jimi Hendrix no Oval! Queria tocar em Stonehenge, pelas energias. O que eu queria mesmo é que a banda tocasse em todo lugar. Quero despertar o mundo. A música e as ondas sonoras são cósmicas quando voam de um lado para outro.

Alguma ambição pessoal?
Queria ter meu próprio país, um oásis para todos os que têm alma cigana. Minha meta é apagar todas as fronteiras do mundo. Gostaria de participar da transformação da realidade. A gente precisa estabelecer metas para valer se quiser seguir em frente. Pelo que eu vejo, tem gente por aí que está meio perdida, não posso ceder a metas menores.

Você tem dinheiro suficiente para levar uma vida confortável?
Olha, acho que não. Porque eu queria acordar de manhã, rolar da cama para dentro de uma piscina interna, nadar até a mesa do café, subir para respirar

e, quem sabe, tomar um suco de laranja e, depois, nadar até o banheiro e, você sabe... fazer a barba.

Você quer uma vida cheia de luxo?

Isso é luxo? Não! Eu estava pensando numa barraca na montanha, quem sabe, com vista para um riacho.

[A Cry of Love Band fez mais seis shows na Europa, durante os quais Billy Cox ficou gravemente doente quando misturaram LSD em sua bebida. A última apresentação foi em 6 de setembro de 1970, no Fehmarn Peace & Love Festival, na Alemanha, evento marcado pela violência.]

Billy Cox saiu da banda e eu não sei o que fazer agora. Não sei como vai ser minha música daqui para a frente. Às vezes não é nada fácil saber o que as pessoas querem por aqui. O jeito é seguir em frente e me guiar pelo que sinto, mas meu sentimento pode me levar para qualquer lado agora, por conta de certas coisas que acabaram de acontecer. Então, o melhor é relaxar e pensar sobre isso tudo. Passar algum tempo em silêncio.

Estou tão cansado de tudo. Não consigo me encontrar, não posso mais tocar. Faz três anos que estou trabalhando duro. A cada vez que toco, sacrifico uma parte da minha alma. Tem certas coisas que me recarregam num instante. Também acontece de eu me esgotar num instante. Tudo depende.

> *"Não faz tanto tempo, mas parece que faz anos que não sinto o cumprimento morno do sol. Ultimamente as coisas parecem um pouco mais frias, o vento parece estar ficando um pouco mais forte, a águia que voa agora bate em retirada – mas isso tudo está apenas na minha cabeça."*

Para mim, hoje, nada é mais difícil do que encontrar um rumo. Melhor nem tentar imaginar quanto essa vida me afetou. De alguma maneira, eu devo ter mudado, mas não saberia dizer como. Esse é o problema. Dei uma volta de 360 graus. Acabei voltando ao ponto de partida. Dei tudo o que tinha a essa era da música, mas meu som ainda é o mesmo, e não consigo pensar em nada de novo que eu possa oferecer hoje. Às vezes, não aguento me escutar porque soo igual a todo mundo e não quero ficar correndo em círculos.

O problema é que não me deixam mudar. Fiz uma tentativa, alguns anos atrás, mas daquela vez também não deu certo. De nós, esperam sempre diversão, não importa o que esteja acontecendo conosco enquanto músicos. Compus "Foxy Lady" há tanto tempo que ela já deve ter uns três filhos. Vamos dedicar a música aos filhos dela porque a mãe já não aguenta mais.

Purple haze – Beyond insane.
Is it pleasure or is it pain?
Down on the ceiling
Looking up at the bed,
See my body painted
Blue and red.*

Ainda não consigo enxergar o rumo que minha escrita está tomando no momento, mas vou descobrir um caminho. Só escrevo o que sinto, nada mais. E não aparo muito bem as arestas. Deixo tudo quase em estado bruto. As letras são tão singelas que ninguém liga para elas. Quando tocamos – com todos os giros e brilhos –, a plateia só enxerga o que os olhos veem e nem lembra que tem ouvidos.

Estou tentando fazer coisas demais ao mesmo tempo, é da minha natureza. Não gosto de me sentir encurralado. Odeio ser visto como se fosse apenas um guitarrista, ou um compositor, ou um sapateador! Não gosto de

---

* Trecho de versão preliminar de "Purple Haze": "*Purple Haze* – para além da insanidade./ Isso é dor ou prazer?/ Lá embaixo no teto/ Olho pra cama lá em cima,/ Vejo meu corpo pintado/ De azul e vermelho."

ficar parado. Tenho que experimentar outras coisas. Gostaria de criar algo como Händel e Bach, como Muddy Waters e o flamenco – esse tipo de coisa. Se eu conseguisse produzir esse som, se eu conseguisse isso, ficaria feliz.

Acho que sou um guitarrista melhor hoje, mas nunca fui bom de verdade. Como as letras, parece que o instrumento também vai me escapando um pouco mais a cada ano. A música que eu escuto, não consigo passar para a guitarra. É mais uma coisa de ficar à toa imaginando e tal. Daí a gente escuta toda aquela música e não consegue passar para a guitarra.

Na verdade, pegar a guitarra e tentar tocar essa música estraga tudo. Penso em melodias, penso em riffs. Até consigo cantarolar esses sons. Daí uma outra melodia me vem à cabeça e depois uma linha de baixo e mais outra. Mas não consigo tirar nada na guitarra. Não toco bem o suficiente para botar essa música toda para fora.

Quero ser um bom compositor e quero ser um bom guitarrista. Já aprendi muito, mas tenho que aprender ainda mais sobre música, porque tenho muita coisa nesta cuca que tenho de botar para fora. Fiz tantas músicas que ainda não tocamos e que provavelmente nunca vamos tocar.

VOU FICAR UNS TEMPOS sem tocar muito ao vivo, porque quero desenvolver mais meu som e, então, lançar um filme. Nos próximos cinco anos, pretendo escrever peças e livros. Quero escrever histórias mitológicas musicadas, baseadas num lance planetário e na minha imaginação. Não será nada na linha da música clássica, mas vou usar cordas e harpas, com texturas musicais extremas e opostas, em contrastes maiores até que os de *Os planetas*, de Holst.

Queria também escrever uma história para o palco e compor a música para ela. Usar a mitologia grega, por exemplo, ou aquelas velhas lendas sobre os vikings e Asgard. A apresentação seria no palco, com muitas luzes e sons. Ou, quem sabe, uma guerra espacial entre Netuno e Urano.

Meu sucesso inicial foi um passo na direção certa, mas foi só um passo. Agora, tenho planos que envolvem muitas outras coisas. Queria tirar uns seis meses de folga e entrar numa escola de música. Quero aprender a ler música, ser um aluno exemplar, estudar e pensar. Cansei de tentar botar as coisas no papel e não conseguir. Quero uma big band. Não estou falando de três harpas e quatorze violinos, estou pensando numa big band com um monte de músicos competentes, regida por mim e tocando composições minhas.

Quero fazer parte de uma nova e grande expansão musical. É por isso que preciso encontrar um novo veículo para minha música. Vamos dar uma parada e reunir todo o conhecimento musical que adquirimos nos últimos trinta anos. Vamos juntar todas as ideias que deram certo numa nova forma de música clássica. Vamos abrir um novo sentido nas mentes.

Curto Strauss e Wagner, esses caras são bons, e acho que eles vão formar a base da minha música. Pairando no ar, por cima de tudo, estará o blues – blues ainda não me falta –, e temos também a *música do céu ocidental* e a *doce música do ópio* (cada um traga seu próprio ópio!). Tudo isso misturado até formar uma coisa só. E com essa música vamos pintar imagens da Terra e do espaço, que vão servir para levar o ouvinte a algum lugar. Temos que dar ao público algo com que sonhar.

"De onde ele vem?
Do céu, onde um milhão de mundos são um só
Para onde ele vai? Ele está indo fazer
Contato com os vivos e os mortos."

Tenho a impressão de que a música se move num grande ciclo. O círculo se completou e eu já estou começando de novo. Minha meta é que eu e a música sejamos um só. Dedico toda a minha vida a essa arte. Não dá para ficar pensando no que vão dizer quando estivermos mortos, nem enquanto estamos vivos. Temos que esquecer tudo isso. Temos que seguir em frente e ser loucos.

A loucura é como o paraíso. Quando você chega nesse ponto em que não dá a mínima para o que os outros dizem, você vai para o céu. Quanto mais perto disso chegamos, mais ouvimos coisas como: "O cara surtou. Perdeu a cabeça de vez." Chamam isso de loucura, mas, se você está produzindo e criando, está chegando mais perto de seu próprio paraíso.

Quando acabou a última turnê americana, eu só pensava em ir embora e esquecer tudo. Eu só queria gravar e tentar compor alguma coisa. Foi aí que comecei a pensar. Pensar no futuro. Pensar que essa era da música, desencadeada pelos Beatles, chegou ao fim. Algo novo está para surgir, e Jimi Hendrix estará lá.

No momento em que eu não tiver mais nada a oferecer musicalmente, já terei deixado este planeta, a não ser que eu tenha mulher e filhos, porque se eu não tiver nada a comunicar com minha música, não terei nenhum motivo para viver. Não sei se vou chegar aos 28 anos, mas, por outro lado, já me aconteceu tanta coisa bonita nos últimos três anos. O mundo não me deve mais nada.

Ter medo da morte é sinal de uma enorme insegurança. O corpo é só um veículo físico que serve para nos levar de um lugar para outro com o menor transtorno possível. Nos jogam esse corpo que temos de carregar, cuidar, proteger e tal, mas esse corpo também se exaure. A ideia é pôr suas coisas em ordem e tentar se preparar para o outro mundo, porque ele existe. Espero que você entenda.

Ainda se choram os mortos. Isso é autopiedade. Todo ser humano tem algum grau de egoísmo, e é por isso que as pessoas ficam tão tristes quando morre alguém. É que ainda não tinham acabado de usá-lo. O morto mesmo não chora. Motivo de tristeza é quando um bebê nasce nesse mundo tão pesado. Já quando alguém morre, deveríamos ficar alegres, porque morrer é passar para algo mais permanente e infinitamente melhor.

Eu digo o seguinte, quando morrer quero uma jam session. Quero todo mundo louco, surtando. E, do jeito que eu me conheço, vou acabar preso no meu próprio funeral. Vai ter música alta, e vai ser a nossa música. Não vai tocar nada dos Beatles, mas vai ter um pouco de Eddie Cochran e bastante blues, Roland Kirk estará lá e vou tentar trazer o Miles Davis se ele estiver disposto a ir. Quase vale a pena morrer por isso. Só pelo funeral.

É engraçado o jeito como as pessoas amam os mortos. É preciso morrer para que comecem a nos dar algum valor. Quando a gente morre, está feito na vida. Quando eu morrer, continuem tocando meus discos.

A HISTÓRIA DA VIDA é mais breve que um piscar de olhos. A história do amor é olá e adeus, até mais ver.

London, 18th September: Jimi Hendrix, the American rock star whose passionate, intense guitar playing stirred millions, died here today of unknown causes. He was 27 years old.

Londres, 18 de setembro: Jimi Hendrix, o astro do rock americano cuja guitarra ardente e intensa agitava multidões, morreu aqui, hoje, de causas desconhecidas. Ele tinha 27 anos.

FSC
www.fsc.org
MISTO
Papel produzido
a partir de
fontes responsáveis
FSC® C019498

A marca FSC é a garantia de que a madeira utilizada na fabricação do papel deste livro provém de florestas de origem controlada e que foram gerenciadas de maneira ambientalmente correta, socialmente justa e economicamente viável.

Este livro foi composto por Mari Taboada em Marat Pro 11,5/18 e impresso em papel offwhite 80g/m² e cartão triplex 250g/m² por Geográfica Editora em novembro de 2014.